STRUCTURER LE SUCCÈS

UN CALENDRIER D'IMPLANTATION DE LA COOPÉRATION

JIM HOWDEN
MARGUERITE KOPIEC

Chenelière/McGraw-Hill
MONTRÉAL • TORONTO

Structurer le succès
Un calendrier d'implantation de la coopération

Jim Howden, Marguerite Kopiec

Coordination : Lucie Robidas
Révision linguistique : Roger Magini et Guy Bonin
Correction d'épreuves : Guy Bonin
Traduction : Françoise Lesage
Illustration de début de chapitre : Anne-Marie Charest
Infographie et illustrations (annexes) : Louise Besner/Point Virgule
Conception graphique et couverture : Josée Bégin

Données de catalogage avant publication (Canada)

Howden, Jim

Structurer le succès : un calendrier d'implantation de la coopération

Comprend des réf. bibliogr.

ISBN 2-89461-130-7

1. Apprentissage - Travail en équipe. 2. Enseignement - Travail en équipe. 3. Enseignement - Méthodes actives. I. Kopiec, Marguerite. II. Titre.

LB1032.H68 1998 371.3'6 C98-941175-3

Chenelière/McGraw-Hill
7001, boul. Saint-Laurent
Montréal (Québec)
Canada H2S 3E3
Téléphone : (514) 273-1066
Télécopieur : (514) 276-0324
chene@dlcmcgrawhill.ca

ISBN 2-89461-130-7

Dépôt légal : 1er trimestre 1999
Bibliothèque nationale du Québec
Bibliothèque nationale du Canada

Imprimé au Canada par AGMV Marquis Imprimeur inc.
2 3 4 5 03 02 01 00 99

Nous reconnaissons l'aide financière du gouvernement du Canada par l'entremise du Programme d'Aide au Développement de l'industrie de l'Édition pour nos activités d'édition.

À nos enfants, Caitlin, Kiel, Jasmin et Adam,
dont l'avenir nous inspire.

Remerciements

Nous tenons à remercier:

- les enseignantes et les enseignants qui ont expérimenté l'apprentissage coopératif auprès de leurs élèves;
  qui ont ouvert les portes de leur classe;
  qui ont fait preuve de générosité en partageant leurs expériences avec des collègues;
  qui ont pris des risques, inventé et persévéré malgré les difficultés;
- tous les élèves qui se sont ouverts aux autres et qui ont donné temps et énergie tout en apprenant;
- les directrices et les directeurs d'école qui ont soutenu l'apprentissage coopératif dans les classes;
- les enseignantes et enseignants ainsi que les conseillers pédagogiques suivants pour leur esprit de coopération et pour avoir partagé des activités concrètes;
  Gisèle Fournier, Anne Lemieux, Rollande Lemyre, Marie-Céline Champagneur-Richer, Denise Latraverse, Louise Dumouchel, Guylaine Beauchesne, Mario Gauvreau, Nicole Bachant, Marie-Andrée Petelle, Louise Bigaouette, Beverly Makiuk, Francine Kimpton, Marie-Andrée Delisle-Alaku, Marie-Claude Sauvé, Ghyslaine Couture, Marcel Penors.
- Jacques Pasquet pour son esprit critique, pédagogique et créateur lors de la lecture de notre manuscrit.
- nos familles respectives pour leur compréhension, leur ouverture d'esprit, leur solidarité, bref, pour leurs valeurs de coopération!

Avant-propos

Qu'est-ce que l'apprentissage coopératif?

L'apprentissage coopératif est puissant: il enrichit les élèves sur tous les plans. Comme vous avez déjà suivi un cours ou reçu une formation sur cette méthode d'enseignement, nous vous donnerons uniquement un aperçu de ses composantes.

L'esprit de classe et de groupe

Afin de créer un climat de confiance où chacun des élèves est accepté, nous devons favoriser les interactions des élèves avant d'aborder quelque travail scolaire que ce soit.

1. **Création d'un esprit de classe**
   Activités favorisant l'ouverture envers les autres, la perspicacité et le respect mutuel.
2. **Création d'un esprit de groupe**
   Les membres du groupe d'apprentissage doivent participer à des activités qui favorisent l'ouverture envers les autres, la confiance et le soutien mutuel. Ces activités combleront les besoins affectifs fondamentaux des l'élèves tels que la sécurité, l'appartenance, le plaisir la liberté et la réussite (Glasser, 1997).

La clé: l'interdépendance positive

L'apprentissage coopératif ne réussit que lorque les élèves travaillent ensemble pour apprendre. Voici les moyens les plus utilisés pour parvenir à cette interdépendance.

De but

- But scolaire commun.

De ressource

- Les membres du groupe doivent partager le matériel qui est divisé de façon qu'aucun élève ne puisse faire le travail tout seul.

De récompense

- Fondée sur le rendement du groupe où chaque membre doit contribuer au produit collectif.
- Souvent, elle n'est pas nécessaire si l'intérêt des élèves est déjà grand.

De tâche

- La tâche est répartie afin que chaque membre soit responsable d'une partie. Par exemple, apprendre afin de montrer aux autres ou mettre en commun des recherches individuelles pour une présentation du groupe.

De rôle

- Les rôles sont attribués aux membres. L'accent est mis sur les tâches ou sur les relations entre membres du groupe.

Responsabilisation individuelle

Au moment des activités de coopération, chaque élève doit savoir qu'il est responsable de son apprentissage. Il existe deux types de responsabilisation : la responsabilisation sociale et la responsabilisation centrée sur la tâche.

Différentes façons de rendre les élèves responsables s'offrent à vous, en voici quelques-unes :

- **Les rôles.** L'attribution d'un rôle pour chacun des élèves est parfois nécessaire afin d'assurer l'accomplissement de la tâche par le groupe.
- **Les changement de rôles.** Les élèves doivent changer de rôle régulièrement. Tour à tour, ils assument les rôles : de secrétaire, de porte-parole, d'observatrice ou d'observateur, de vérificatrice ou de vérificateur, de responsable du temps, de responsable du matériel, etc.

Développement des habiletés de coopération

Les habiletés de coopération doivent être enseignées, pratiquées et évaluées. La communication, la négociation, le leadership, le partage et la résolution de conflits sont inhérents au développement des habiletés de coopération. Pour les mettre en pratique, les élèves doivent :

- faire de l'écoute active, synthétiser des idées, connaître les stratégies d'apprentissage, partager et gérer le temps, respecter les différences, s'en tenir à la tâche, critiquer les idées et non leurs auteurs ;
- s'évaluer et s'assurer de leur compréhension.

Assurer l'enseignement des habiletés par :

- le modelage ;
- des jeux de rôle ;
- des graphiques en T.

Rôle de l'enseignante

Le rôle de l'enseignante dans une classe structurée selon la pédagogie de la coopération est différent. Il est composé de différentes tâches ci-après énumérées.

Avant l'activité

1. Établir les objectifs scolaires et de coopération.
2. Prévoir la structure de l'activité.
3. Préparer l'activité (matériel, agencement, etc.).
4. Déterminer la grosseur et la composition des groupes.
5. Faire le modelage des habiletés et des expressions dont les élèves doivent se servir.

Pendant l'activité

1. Observer les groupes et intervenir, au besoin, pour contribuer à l'apprentissage.
2. Faire faire de la réflexion critique.
3. Établir de nouveaux objectifs, cerner les problèmes, envisager et considérer des solutions.

Après l'activité

1. Réfléchir sur la pratique pédagogique.

2. Réfléchir sur le regroupement et les autres composantes de l'apprentissage coopératif.
3. Prévoir les changements.

Regroupement

L'apprentissage coopératif a lieu en petit groupe d'apprenants.

1. Groupes déterminés par les élèves selon leur intérêt pour le sujet ou les facteurs sociaux (par exemple, l'amitié).
2. Groupes déterminés au hasard par l'enseignante.
3. Groupes de base hétérogènes déterminés par l'enseignante. Facteurs de la composition des groupes à considérer :
   - Diversité à l'intérieur de chaque groupe
   - Les groupes équilibrés

Types de regroupement :
   - Groupes informels ;
   - Groupes de base ;
   - Groupes associés ;
   - Groupes reconstitués ;
   - Groupes représentatifs.

Réflexion critique

Une réflexion critique sur le fonctionnement de chaque membre et sur le groupe lors des activités d'apprentissage serait pertinente :

- Réflexion individuelle sur soi-même ;
- Réflexion individuelle sur son groupe ;
- Discussion sur son groupe.

Qu'est-ce qu'une structure coopérative ?

Dans cet ouvrage, nous utilisons le terme structure pour désigner deux réalités :

1. Une méthode visant à stimuler les interactions des élèves. Ces interactions ont pour rôle d'assurer la présence de toutes les composantes nécessaires à la coopération, dont voici quelques exemples : le 1-2-3, Têtes numérotées ensemble et les Coins.
2. Le mot structure désigne aussi tous les éléments ou composantes de l'apprentissage coopératif. Comment y arriver ? Nous vous invitons à vous servir du Calendrier d'implantation et de vos connaissances en matière d'apprentissage coopératif.

Qu'est-ce que l'apprentissage ?

Qu'est-ce que l'apprentissage ? Que ferez-vous pour mener vos élèves au succès ? Le diagramme de la page suivante illustre comment ces derniers sont au centre de tout apprentissage. Comme enseignants, nous avons la responsabilité de transmettre nos connaissances à nos élèves de manière efficace afin qu'ils les assimilent bien. D'après les dernières recherches sur les méthodes et stratégies d'apprentissage efficaces (Tardif, 1992), le cycle d'enseignement comporte trois phases : la préparation, la réalisation et l'intégration.

La première phase vise à motiver davantage les élèves et à les préparer à devenir des participants plus actifs dans leur apprentissage.

Pour ce faire, nous déterminerons nos objectifs d'apprentissage, activerons leurs connaissances antérieures et amènerons nos élèves à bien sentir l'objectif du cours. La deuxième phase correspond à la réalisation, pendant laquelle les élèves auront recours à la taxonomie inhérente à un degré de pensée supérieur afin d'organiser et de consolider la matière étudiée. Enfin, la troisième phase consiste à organiser une réflexion sur la manière d'apprendre, sur la nature des concepts et sur le rôle de l'apprenante et de l'apprenant, que ce soit sur une base individuelle ou en petits groupes. Le point culminant de cette phase se situe au moment où les élèves sont en mesure de transférer leurs apprentissages, leurs habiletés et leurs attitudes dans un nouveau contexte.

L'APPRENTISSAGE : C'EST QUOI ? C'EST COMMENT ?

Phases d'apprentissage	Exemples de structures coopératives
1. Création d'un climat favorable à l'apprentissage coopératif • Développer un esprit de classe où se vivent les valeurs de coopération	
2. Préparation • Susciter l'intérêt pour l'apprentissage • Activer les connaissances antérieures • Planifier la leçon • Se fixer des objectifs	• 1-2-3 p. 20 • Grille de groupe de base p. 29 • Graffitis collectifs p. 42
3. Réalisation • Traiter les intrants de l'information, enseigner la matière nouvelle, expliquer, montrer, poser des questions, formuler des hypothèses, donner des modèles, comparer • Mémoriser, comprendre et mettre en pratique les connaissances • Enseigner des stratégies ou des modèles • Analyser, synthétiser et évaluer des connaissances	• Casse-tête d'expertise p. 107 • Cercles concentriques p. 17 • Méli-mélo p. 86
4. Intégration • Objectiver les connaissances acquises et les stratégies d'apprentissage • Déterminer les difficultés qui restent • Transférer les connaissances et les stratégies dans d'autres contextes	• « Coup de fouet » p. 84 • 1-2-3 p. 20 • Table ronde p. 40
5. Réflexion critique • Réfléchir sur le fonctionnement du groupe • Réfléchir sur la pratique des habiletés de coopération	

ÉLÈVE
– actif
– motivé

Notre ouvrage s'adresse aux enseignants qui sont prêts à faire des expériences et à ajouter l'apprentissage coopératif à leur répertoire de stratégies d'enseignement.

Vous trouverez ici tous les outils nécessaires pour plonger avec vos élèves. Prenez une bonne respiration et amusez-vous !

CALENDRIER D'IMPLANTATION DE LA COOPÉRATION

Septembre, 1er mois

Octobre, 2e mois

Novembre, 3e mois

Décembre, 4e mois

Janvier, 5e mois

Février, 6e mois

Mars, 7e mois

Avril, 8e mois

Mai et juin, 9e et 10e mois

Introduction

En quoi consiste la coopération en classe? C'est coopérer pour apprendre et apprendre à coopérer. Quand de petits groupes d'élèves travaillent ensemble pour atteindre un objectif commun, ils coopèrent pour apprendre. Quand leur enseignante donne des exemples, critique des idées, sans en critiquer l'auteur, ils apprennent à coopérer. Pour que les élèves commencent à coopérer efficacement, ils devront changer certaines de leurs valeurs et de leurs habitudes. Mais avant, vous devrez réfléchir aux valeurs de la coopération et faire vôtres les valeurs inhérentes à la coopération.

L'apprentissage coopératif n'est pas le sujet de cet ouvrage, car il existe plusieurs livres et ressources qui définissent de nombreux modèles de cette méthode d'enseignement. Nous y suggérons plutôt un calendrier de la mise en œuvre de cette méthode d'enseignement. **Selon nous, les moyens visant à favoriser la coopération en classe ne relèvent pas de recettes. Ils constituent plutôt une stratégie fondée sur la transformation des valeurs.**

Cet ouvrage n'est pas non plus un dictionnaire. Considérez-le plutôt comme un recueil de suggestions servant à *implanter* l'apprentissage coopératif dans votre classe. Ces conseils sont le fruit de notre expérience et de celle de milliers d'autres avec lesquels nous avons travaillé durant nos formations. Comme nous avons pu servir de guides à plusieurs d'entre eux, nous croyons que le calendrier proposé constitue un plan pertinent et bien structuré. Si vous avez l'impression qu'il pose trop de limites certains mois, adaptez-le à vos besoins. Comme plusieurs enseignants se demandent par où commencer, voici quelques suggestions: d'abord, créer des conditions favorables à l'apprentissage, c'est-à-dire préparer les élèves à coopérer et, ensuite, prévoir des périodes d'apprentissage destinées aux groupes coopératifs. Pour ce faire, vous devrez être persuadé:

- **que tous les élèves sont capables d'apprendre;**
- **que, dans des conditions favorables, tous les élèves apprendront;**
- **que les émotions constituent un facteur important dans l'apprentissage;**
- **que l'apprentissage est favorisé dans des conditions où toute forme de menace est faible et où les défis à relever sont grands.**

Ces préceptes ont-ils une valeur à vos yeux? Sinon, pourquoi? De nombreux enseignants changent leurs valeurs en faisant des essais et des erreurs. C'est alors qu'ils organisent de nouvelles activités d'apprentissage coopératif qui conviennent davantage à leurs élèves; nous avons vécu cette expérience.

Nous sommes persuadés que les structures et les outils de l'apprentissage coopératif sont à votre disposition et qu'ils vous permettront non seulement d'améliorer et de varier vos méthodes d'enseigner, mais de créer aussi, une conjoncture favorisant l'apprentissage de vos élèves.

Septembre

1er mois

✔ Confiance

Ouverture envers les autres

Entraide

Égalité

Droit à l'erreur

Solidarité

Engagement

Plaisir

Synergie

INTRODUCTION

Enseignante : « Devrais-je me consacrer à la création d'esprit de classe ou de groupe seulement quand les élèves ne se connaissent pas ? » Non. Les adultes, les enfants et les adolescents peuvent se sentir menacés par la proximité et les échanges intellectuels même avec des personnes qu'ils connaissent bien. L'enseignante devrait toujours être consciente des besoins de ses élèves et y répondre adéquatement. Le degré d'anxiété d'une personne varie constamment.

Septembre est propice pour préparer votre classe, pour lui expliquer vos besoins et pour cerner ceux de vos élèves. L'introduction de notre manuel est aussi importante que celle de chacun des mois – veuillez prendre le temps de la lire. Nous y proposons des directives et un travail préliminaire qui mènera au succès.

Dans une classe d'apprentissage coopératif, tous doivent se sentir acceptés et respectés par leurs camarades avant d'accomplir des tâches d'apprentissage avec d'autres élèves. Le sentiment d'appartenance à un groupe s'acquiert avec le temps et par une interaction réussie, mais le succès n'est pas le fruit du hasard. Créer un climat où chacun est accepté par le groupe et par les autres membres de la classe, valoriser les différences et le soutien mutuel vous aideront à développer l'esprit de classe, pierre angulaire de l'apprentissage coopératif. Inculquer ces valeurs aura pour effet de transformer l'esprit de compétition et d'isolement en un sentiment d'appartenance. En organisant des activités dont le but est de développer l'esprit de classe, vous :

- diminuerez le stress chez vos élèves ;
- valoriserez le soutien mutuel et l'esprit de coopération ;
- mettrez en place des conditions favorables à l'apprentissage.

Il faut bâtir la confiance et un climat propice à l'apprentissage, donc enseigner les valeurs de la coopération, avant d'utiliser l'apprentissage coopératif. Nos valeurs, nos gestes, nos paroles et nos comportements sont importants aux yeux de nos élèves, car nous leur servons de modèles. Si nous croyons que nos élèves sont dignes de confiance, nous leur permettrons de s'exprimer et de prendre des décisions. Un niveau accru de responsabilité et d'acceptation du leadership de l'enseignante, tels sont les dividendes que nous en retirerons !

1.1 Pleins feux sur les valeurs de la coopération

L'apprentissage coopératif consiste en un mode d'apprentissage où les élèves cheminent en petits groupes autour d'un projet ou d'un même objet d'études. L'ultime objectif de cette pédagogie est d'inculquer des valeurs qu'ils préconiseront tout au long de leur vie. Aucun de ces éléments ne peut être exploité sans que soient définies les valeurs fondamentales aux changements de comportement. On doit cerner les valeurs inhérentes à la coopération et y réfléchir. Nous en avons établi neuf qui, selon nous, déterminent la nature de la

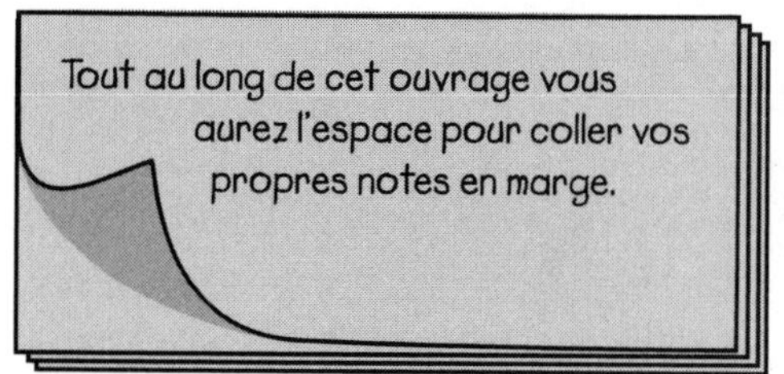

coopération (*voir l'annexe 1*): la confiance, l'ouverture envers les autres, l'entraide, l'égalité, le droit à l'erreur, la solidarité, l'engagement, le plaisir et la synergie (l'annexe contient des cartes illustrant ces valeurs). Il est primordial que vous adhériez à ces valeurs et que vous soyez très honnête avec vos élèves quand vous les leur présenterez. Vous devez leur servir de modèle. En adoptant la structure des coins, discutez de l'importance de chacune de ces valeurs dans la culture de votre classe. Posez les questions suivantes à vos élèves: «Comment cette valeur se reflète-t-elle sur les comportements?» «Que ferais-tu et que refuserais-tu de faire si tu croyais à l'égalité, à la confiance, etc.?»

L'encadré qui suit présente une structure qui peut vous permettre de:

- former les groupes informels en respectant un champ d'intérêt de chaque élève;
- développer l'esprit de classe.

Structure

Les coins

Démarche

1. Établir le nombre de «coins» en fonction des besoins où les élèves peuvent se regrouper par intérêt. Par exemple, une valeur que je trouve importante; une profession qui m'attire – écrivain, pilote d'avion, astronaute, avocat; ma saison favorite; un métier; des moyens de transport; des célébrités ou des personnages historiques.
2. Fixer aux murs de la classe (dans les coins spécifiés) les affiches sur lesquelles est écrit le titre du coin et qui indique le nombre maximal d'élèves (quatre ou cinq) qui peuvent s'y trouver. Accorder quelques minutes à chacun pour écrire leurs choix par ordre de priorités.
3. Une fois ce travail terminé, laisser les élèves se placer dans le coin de la classe qui correspond à leur premier choix. S'il y a plus d'élèves que le nombre autorisé, ils doivent se placer dans le coin représentant leur second choix, et ainsi de suite.
4. Lorsque les groupes sont formés, demander aux élèves de discuter entre eux des éléments qui ont motivé leur choix.
5. Choisir un porte-parole dans chaque coin pour faire une mise en commun.

1.2 Pleins feux sur la valeur de la confiance

> **Soulignez leurs comportements positifs**
>
> Pour les raisons suivantes il est important que vous travailliez à créer une atmosphère de confiance dans l'ensemble de la classe et pas uniquement dans des groupes en particulier :
>
> - Ce qu'on attend de l'autre influe grandement sur la relation entre deux personnes ;
> - Durant l'année scolaire, chaque élève travaillera avec plusieurs autres élèves de sa classe. Chacun doit avoir une attitude positive envers le groupe des pairs.

Comme les expériences vécues avec nos amis d'enfance, nos collègues de travail, nos administrateurs et même avec nos compagnes et compagnons de vie nous l'ont démontré, la confiance établie peut aussi être détruite. Dans une classe coopérative, un relâchement des efforts au lieu de leur concertation, la concurrence plutôt que la coopération, et divers conflits dans le groupe peuvent miner la confiance de ses membres.

Vous devriez garder à l'esprit la valeur de la confiance tout au long du premier mois de coopération dans la classe. Retournez-y fréquemment en réfléchissant aux gestes accomplis ainsi qu'aux paroles prononcées durant la journée : ces comportements reflètent-ils la confiance ? Comment les modifier ? Faites que le changement de comportement soit un but de la classe et non la responsabilité d'un seul élève.

Après avoir présenté les neuf valeurs à vos élèves, vous devriez vous concentrer sur une valeur chaque mois et analyser régulièrement les comportements par rapport à la valeur véhiculée. Nous vous suggérons un certain ordre pour enseigner ces valeurs, mais rien ne vous empêche de le modifier. Dans une classe du primaire, les élèves interagissent beaucoup au cours d'une journée dans une foule de situations, et pour vous il est facile de les observer. À la fin de chaque journée, il serait tout à fait pertinent de faire part à vos élèves de vos observations et de les féliciter d'avoir fait preuve de confiance, de soutien, etc.

À cause de la structure de la classe au secondaire, votre perception des interactions entre les élèves est souvent fragmentée. Toutefois, vous devriez pouvoir observer et noter certains comportements souhaitables à mesure que vos élèves assimilent la valeur privilégiée, que ce soit dans un contexte de coopération ou dans un contexte individuel et avant de quitter la classe. Au début, tous les deux jours environ, vous devriez dire à vos élèves à quel point ils mettent en pratique la valeur coopérative visée. Concentrez-vous sur une valeur par mois, comme vous le feriez dans une classe du primaire. Avec le temps, vos élèves s'habitueront à observer ces comportements chez leurs camarades et à donner leurs impressions.

Le conseil de coopération est l'occasion parfaite pour livrer ces impressions. Vous trouverez une courte description de ce concept à l'article 6.5 du mois de février, à la page 104. Veuillez consulter l'ouvrage de Danielle Jasmin pour l'analyse complète de ce concept[1].

La confiance est une condition préalable au fonctionnement efficace d'un groupe. Si la confiance ne règne pas parmi les membres d'un groupe, il n'y a pas de contribution aux idées, pas d'acceptation des idées des autres, ni d'honnêteté. Par contre, quand une grande confiance règne, les gens sont plus disposés à courir des risques (ceci m'évite de «me couvrir de ridicule»), ils partageront de l'information, donneront leur opinion et s'entraideront. Pour bâtir la confiance dans une relation, qu'il s'agisse d'un couple ou des trois mousquetaires, les parties en présence doivent sentir que tout ce qu'elles feront ou diront sera respecté. En outre, la réponse des autres membres doit être réciproque. «Si je me confie à toi et que tu ne te confies jamais à moi, je trouverai très difficile de te faire confiance, malgré toute ton acceptation.»

Le développement d'esprit de classe est cyclique. Il faut donc faire des activités qui favorisent la coopération tout au long de l'année.

La chenille aveugle

Cette activité est destinée aux classes du primaire.

Choisir une leader ou un leader. Les yeux fermés, les élèves forment une file et placent leurs mains sur les épaules de la personne devant eux. Les yeux ouverts, le leader fait circuler le groupe autour de la classe et lui explique comment éviter les obstacles. Les élèves agissent à titre de leader à tour de rôle. Une discussion suit: comment vous sentiez-vous de savoir que votre sécurité dépendait d'une autre personne? Que ressentiez-vous en dirigeant le groupe?

Adapté de Johnson, Johnson et Holubec, 1997.

Activités pour créer la confiance

Voici une activité destinée aux élèves plus âgés: «Peut-on me faire confiance?»

Pour aider vos élèves à comprendre la nature de la confiance, vous pouvez utiliser le questionnaire suivant. Leurs réponses devraient être fondées sur leurs expériences antérieures à l'école et dans d'autres situations.

1. Jasmin, Danielle. *Le conseil de coopération: un outil de gestion pédagogique de la vie en classe*, CEQ, Montréal, Les Éditions de la Chenelière, 1993.

Peut-on me faire confiance ?

Ces énoncés s'adressent à toi comme membre d'un groupe. Il n'y a ni bonne réponse ni mauvaise réponse (1 signifie jamais et 5 signifie toujours).

1. J'essaie de faire avancer la discussion du groupe en disant ce que je sais, en donnant mon opinion et en faisant des suggestions.
   1 2 3 4 5
2. Je dis aux autres membres du groupe que je veux coopérer avec eux.
   1 2 3 4 5
3. J'aide mes coéquipiers qui ont de la difficulté.
   1 2 3 4 5
4. Je garde pour moi mes idées et mes sentiments quand je travaille en groupe.
   1 2 3 4 5
5. J'écoute plus attentivement quand les idées des autres membres peuvent me servir.
   1 2 3 4 5
6. Je dis aux autres que je les apprécie et que j'aime ce qu'ils font.
   1 2 3 4 5
7. J'aide tout le monde dans le groupe afin de rendre la tâche plus facile à chacun de nous.
   1 2 3 4 5
8. Je partage le matériel et les ressources avec les membres de mon groupe pour faciliter la tâche de tous.
   1 2 3 4 5
9. Avant de répondre à une question ou de donner mon opinion, je me répète ce que les autres ont dit.
   1 2 3 4 5
10. J'essaie de ne pas être différente ou différent des autres membres du groupe.
   1 2 3 4 5

Peut-on me faire confiance?

Fais le compte de tes réponses

Pour déterminer le nombre de points obtenus, écris le nombre que tu as encerclé à chaque question. Pour la question 4*, inverse les nombres: si tu as répondu 1, écris 5, si tu as répondu 2, écris 4; 3 ne change pas.

Confiance	Digne de confiance
1. ______________	2. ______________
4*. ______________	3. ______________
5. ______________	6. ______________
8. ______________	7. ______________
10. ______________	9. ______________
Total ______________	Total ______________
CONFIANCE : tu fais confiance aux autres, tu crois que les gens font leur possible et qu'ils sont dignes de ta confiance.	DIGNE DE CONFIANCE : les gens peuvent te faire confiance, tu fais ton possible pour les aider et leur faire sentir que tu les acceptes.
Moins de 20 points	
Tu ne partages jamais ni le matériel ni les ressources, et tu ne dis jamais ce que tu penses.	Tu n'aides jamais qui que ce soit et tu ne montres pas que tu veux coopérer.
Entre 21 et 30 points	
Tu partages rarement le matériel ou les ressources et tu dis rarement ce que tu penses.	Tu aides rarement les autres et tu montres rarement que tu veux coopérer.
Entre 31 et 40 points	
Tu dis souvent ce que tu penses et tu ne crains pas de partager tes informations.	Il t'arrive souvent de montrer à tes coéquipiers que tu les acceptes, que tu les appuies et que tu veux coopérer avec eux.
Plus de 40 points	
Tu fais confiance aux membres de ton groupe. Tu dis toujours ce que tu penses et tu ne crains jamais de partager tes informations.	Tu es digne de confiance comme membre de groupe. Tu témoignes toujours de l'acceptation, de l'appui et de la coopération aux membres de ton groupe.

Après que vos élèves ont compté leurs points, vous pouvez discuter avec eux de l'importance d'être une personne digne de confiance. Quand on est digne de confiance, on crée les conditions nécessaires à une bonne relation – qu'il s'agisse d'amitié ou d'apprentissage.

Adapté de Johnson, Johnson et Holubec, 1997.

Discuter de la signification et de l'importance de la confiance

Vous pouvez vous servir des résultats du questionnaire de l'activité précédente comme tremplin pour animer une discussion sur la confiance et sur son importance dans la classe. Voici quelques idées qui serviront à amorcer cette discussion:

1. Pensez à une personne digne de confiance.
2. Écrivez trois caractéristiques qui font que cette personne est digne de confiance.
3. Faites part de ces informations à la personne à côté de vous.
4. Choisissez ensemble les deux caractéristiques les plus importantes et discutez-en.
5. Un des deux élèves fait un rapport devant la classe. L'enseignante inscrit les réponses sur une feuille et l'affiche pour qu'elle soit consultée.
6. Organisez une discussion sur ces caractéristiques et sur la façon dont chaque élève peut contribuer au climat de confiance. Dirigez la conclusion sur le fait qu'une classe n'est pas une vague assemblée de personnes, mais une communauté d'élèves responsables de leur apprentissage individuel et de la création d'un climat favorisant l'apprentissage des autres. Vous devriez insister sur l'interdépendance de tous les élèves au sein de la classe.

Plusieurs enseignants remportent un grand succès avec l'activité suivante.

Fais-moi confiance, je te fais confiance

Chaque semaine, demandez à quatre ou cinq élèves d'apporter un objet en classe. Cet objet doit avoir pour eux une signification particulière. Il peut s'agir d'une photographie, d'un objet qu'ils ont fabriqué ou qu'ils possèdent. L'élève parle entre une et trois minutes de l'objet et explique pourquoi il est important à ses yeux. Les autres l'écoutent et l'interrogent. Ils posent des questions uniquement si l'élève est à court d'idées.

Expliquez aux élèves que la confiance se crée par le partage d'informations sur nous-mêmes et la connaissance réciproque.

1.3 Établir un code de vie démocratique en classe

En vous servant de la structure ci-dessous, encouragez vos élèves à participer à l'établissement de règlements et de directives de base pour créer une atmosphère de confiance nécessaire à l'apprentissage. Même si vous encouragez vos élèves à participer à ce processus, il est primordial que vos attentes et vos valeurs soient également représentées dans cette liste de directives. Le succès de votre classe coopérative repose sur les éléments suivants :

- Essaie, parce que seule l'amélioration compte (et non pas la perfection).
- Demande à tes coéquipiers de t'aider et de clarifier la situation.
- Aide tes coéquipiers et ton enseignante.
- Assure-toi de bien comprendre la tâche et les consignes.
- Encourage tes coéquipiers et félicite-les pour leurs efforts et leurs idées.
- Essaie de résoudre les problèmes du groupe avant de faire appel à ton enseignante.
- Pose uniquement des questions après avoir consulté le groupe.
- Consulte les autres groupes et ton enseignante uniquement quand ton groupe est dans une impasse.
- Parle à voix basse pour n'être entendu que de tes coéquipiers.
- Respecte la consigne de silence établie pour les activités d'apprentissage coopératif.

La rédaction d'un code de vie en classe fait appel à la méthode suivante pour déterminer les objectifs :

1. Demandez aux élèves d'écrire des suggestions pour la classe (faire un remue-méninges en petits groupes).
2. Éliminez les directives non négociables, comme celles que la classe et le conseil scolaire ont déjà émises.
3. En petits groupes, discutez des directives et dressez-en une liste par ordre de priorités. Assurez-vous que tout le monde est d'accord sur l'ordre des directives de la liste. Copiez-la sur du papier brouillon.
4. Affichez les listes préparées en petits groupes et comparez-les. En groupe-classe, décidez de l'ordre de priorités. Discutez de la pertinence de chaque idée et de la façon qu'elle aidera vos élèves à mieux travailler. Éliminez toute idée discriminatoire ou problématique. S'il y a désaccord, discutez-en et essayez de parvenir à un compromis.
5. Pensez à ce que vous ferez de la liste finale ; par exemple, vous pouvez la recopier et l'afficher en avant de la classe.
6. Vous pouvez ensuite discuter des diverses façons d'encourager les élèves à observer ces directives.

Pour parvenir à un consensus, vos élèves peuvent utiliser la structure suivante au lieu d'organiser un scrutin. Contrairement à un scrutin, cette structure mène à un consensus, car elle attribue une valeur donnée à un certain nombre de choix.

Structure

Affaires d'argent

Démarche

1. Les élèves font un remue-méninges et trouvent autant d'idées qu'ils peuvent selon le thème. Ici, il s'agit d'idées pour le code de vie en classe.
2. Chaque élève reçoit un nombre égal de jetons représentant des dollars, par exemple 1 $, 2 $ et 5 $.
3. Ils misent chaque jeton sur une idée *différente*.
4. On compte les dollars misés sur chaque idée et celle qui l'emporte devient la décision de la classe.

Adapté de Kagan, 1996.

1.4 Structurer le principe du plaisir d'apprendre

Si vous souscrivez au principe selon lequel tous les élèves peuvent apprendre s'ils évoluent dans de bonnes conditions, vous croyez probablement que chaque être humain est curieux et s'accomplit dans l'apprentissage. L'apprentissage est agréable, l'apprentissage, c'est-à-dire le véritable apprentissage, celui où la lumière se fait, est excitant et gratifiant. S'il ne l'est pas, c'est qu'il y a un blocage. Ce blocage pourrait-il être la conséquence d'un manque de connaissances préalables ? D'une faiblesse de l'élève dans une matière particulière ? De raisons affectives ? Du débit de l'enseignante ? Vous n'exercez pas de contrôle absolu sur tous ces facteurs. Toutefois, en créant un climat de confiance où chacun est accepté et où le droit à l'erreur fait partie de l'apprentissage, vous structurez le principe du plaisir. Quand vous accueillez vos élèves avec un sourire, vous leur signifiez qu'ils vivront des expériences agréables en votre présence. Il se peut que certains ne comprennent pas aussi bien que les autres, mais ils pourront progresser à leur rythme, et personne ne se moquera de leurs erreurs. Dites à vos élèves qu'une fois qu'ils auront commencé à travailler en groupes coopératifs, ils vivront des expériences agréables grâce à leur ouverture envers les autres, à leur appartenance et à leur goût de réussir ensemble. Tel est le fruit du climat de confiance que vous aurez créé dans votre classe.

Observer et dépister les relations de statut chez les élèves

Une classe est une structure hiérarchique. Les élèves considèrent que les pairs qui ont un vocabulaire riche ou la bosse des mathématiques ont un statut plus élevé dans la classe[2]. La popularité et les succès sportifs constituent quelques-uns des autres facteurs qui déterminent le statut. La recherche[3] démontre que le rang accordé selon le statut dans la classe déterminera la motivation des élèves à s'engager dans l'apprentissage. C'est pourquoi vous devez observer la hiérarchie présente dans votre classe et déterminer le statut de tous vos élèves.

Dans une large mesure, l'apprentissage est le résultat d'une prophétie auto-actualisante[4]: « Je sais que je ne réussirai pas ; par conséquent, je ne réussis pas. » Vos observations s'avéreront importantes parce qu'elles vous permettront de structurer des groupes coopératifs bien équilibrés. Ces regroupements assureront un environnement d'apprentissage encourageant le plus grand nombre d'élèves possible. Si seulement nous pouvions insuffler assez de confiance en soi à nos élèves, ils tenteraient d'apprendre en croyant qu'avec des efforts ils finiraient par apprendre, alors que certains autres ne feraient aucun effort pour y parvenir. Pour en savoir davantage sur le statut des élèves, voir l'article 4.1 du mois de décembre, à la page 71.

1.5 Utiliser des activités qui développent l'esprit de classe et qui visent à promouvoir un climat affectif propice à l'apprentissage

« Vous êtes responsable de ce que vous apportez aux autres et de votre comportement. Vous devez vous respecter et respecter les autres tout au long du processus d'apprentissage. »

Vos élèves doivent se sentir acceptés non seulement par vous, mais aussi par tous les élèves. Pour accepter et être accepté, il faut briser la glace. Même des élèves qui ont passé plusieurs années ensemble peuvent, dans le même groupe, ne pas se connaître personnellement. Or, l'acceptation présuppose la connaissance de l'autre.

2. Cohen. E. *Le Travail de groupe. Stratégies d'enseignement pour la classe hétérogène*, Montréal, Les Éditions de la Chenelière, 1997, 217 pages.
3. Cohen, E. *op.cit.*
4. Cohen, E. *op.cit.*

Nous suggérons d'organiser deux types d'activités pour favoriser la connaissance de l'autre et l'acceptation. Vous pouvez utiliser les structures suivantes pour briser la glace et pour promouvoir l'appréciation mutuelle.

Idées pour le contenu des casse-tête

- Ordre séquentiel des nombres
- Tableau périodique
- Scène représentant le cycle de l'eau
- Table de multiplication
- Bande dessinée
- Scène représentant une péripétie de l'histoire
- Carte du monde/du pays/ de la province

Structure | **Pour briser la glace**

Jeux de casse-tête

Démarche

1. Préparer un grand casse-tête et le découper en autant de pièces qu'il y a d'élèves dans la classe. Il peut représenter une image ou une histoire (bien que celle-ci soit plus difficile à représenter). Possibilité de créer aussi des casse-tête représentant des concepts appris en classe.
2. Distribuer les pièces au hasard.
3. Les élèves se déplacent dans la classe et essaient de reconstituer le casse-tête en s'aidant.

Note: quand les élèves sont plus âgés, il est possible de créer une carte sémantique du module étudié (uniquement s'ils se sont familiarisés avec ce procédé); ou tout simplement d'écrire les concepts sur des morceaux de papier différents; les élèves doivent alors se tenir par la main selon les liens entre les concepts. Par exemple, condensation, arc-en-ciel, pluie, eau, évaporation.

Prolongement

Les groupes créent des casse-tête et les donnent à un autre groupe qui les reconstituera.

Note: il est plus facile de composer un casse-tête sans image qui ne comporte que 8 à 16 pièces. Les élèves auront certainement assez d'idées.

Structure

Mêler-jumeler-questionner

Démarche

1. Distribuer des rectangles de carton auxquels attacher un bout de ficelle (pour que les élèves puissent les porter dans le dos). Pour des élèves plus âgés, préparer des morceaux de papier à fixer dans le dos avec du ruban adhésif. Sur chaque étiquette se trouve un mot ou une image représentant un concept ou une personne (par exemple, un fruit). Les élèves plus âgés peuvent faire un remue-méninges pour trouver des concepts et les écrire eux-mêmes.
2. Les élèves ne doivent pas voir les étiquettes qu'ils portent. Ils se dispersent dans toute la classe.
3. Dire « Arrêtez ». Les élèves se jumellent alors avec la personne la plus proche et lui montrent leur étiquette.
4. Dire « Posez des questions ». L'un des deux élèves pose des questions pour deviner le mot ou l'image qu'il porte dans le dos. On ne peut répondre à ces questions que par oui ou non.
5. Les partenaires inversent leurs rôles.

Facultatif : il est possible de reprendre les étiquettes, les mélanger et les redistribuer à d'autres élèves pour refaire le jeu. Ou les élèves peuvent se disperser dans la classe et accrocher leur étiquette dans le dos d'un élève qui ne leur a pas été jumelé et ensuite poursuivre l'activité comme au n° 4.

Structure

Appréciation

En file

Démarche

1. Annoncer l'ordre dans lequel les élèves se mettront en file ou distribuer à chacun d'eux un morceau de papier où est écrit un concept. Pour briser la glace, l'ordre pourrait se faire par les prénoms, en ordre alphabétique, par le jour ou le mois de leur naissance. Le début et la fin de la file sont clairement indiqués sur le sol (par exemple, avec du ruban adhésif).
2. Les élèves se mettent en file, selon leur choix ou leur place dans la file, ou selon le concept attribué dans la séquence. Ils doivent se parler pour trouver leur place dans la file. Si plus d'un élève prend place au même endroit donné dans la file, ils restent ensemble, l'un derrière l'autre.
3. Une fois la file formée, les élèves qui sont côte à côte discutent de la raison pour laquelle ils se sont placés à cet endroit.

Variation : La file avec un pli

Démarche

La file se divise en deux pour que le premier élève se retrouve devant le dernier, le deuxième devant l'avant-dernier, etc.

Les couples qui se font face discutent de leur place dans la file.

1	2	3	4	5	6	7	8	9	10	11	12
24	23	22	21	20	19	18	17	16	15	14	13

Variation : La file avec un glissement

Démarche

La file se divise en deux, et la seconde partie glisse le long de la première comme dans le diagramme ci-dessous :

1	2	3	4	5	6	7	8	9	10	11	12
13	14	15	16	17	18	19	20	21	22	23	24

Les élèves qui se font face discutent ensemble.

Autres idées pour former la file
- Jours de la semaine
- Heures de la journée
- Mois de l'année
- Distance qui sépare l'élève de l'école
- Séquence de nombres ou de fractions
- Lettres de l'alphabet
- Mots par ordre alphabétique
- Péripéties d'une histoire
- Distance séparant certains endroits de l'école ou de la ville
- Planètes du système solaire
- Éléments de la classification périodique des éléments
- Taille des animaux
- Couleurs du spectre ou de l'arc-en-ciel
- Faits historiques

Idées de contenu pour l'activité Trouve quelqu'un qui peut:

- localiser sur une carte des provinces, des rivières, etc.;
- jumeler des dates à des événements historiques;
- jumeler des images à des mots en français, ou en langue seconde;
- trouver les synonymes dans une phrase;
- compter jusqu'à 20;
- épeler un mot (qui est caché);
- nommer une pièce de moteur.

Cette structure peut être utilisée pour bâtir l'esprit de classe.

Structure

Trouve quelqu'un qui te ressemble

Démarche

1. Tous les élèves reçoivent une feuille semblable à la feuille ci-dessous.
2. Ils répondent individuellement aux questions.
3. À votre signal, ils se dispersent dans la classe et posent des questions jusqu'à ce qu'ils trouvent une personne qui a une réponse semblable à la leur. Le cas échéant, celle-ci appose sa signature à côté du numéro.
4. Continuez l'activité jusqu'à ce que toutes les questions, ou presque, comportent des signatures.

Exemple d'une feuille à utiliser lors de l'activité.

Trouve quelqu'un qui te ressemble

	Ma réponse	Signatures de mes camarades
1. Crème glacée préférée		
2. Matière scolaire préférée		
3. Musique préférée		
4. Signe astrologique		
5. Nombre de frères et de sœurs		
6. Saison préférée		
7. Sport préféré		
8. Couleur préférée		
9. Couleur des yeux		
10. Vacances de rêve		
11. Si j'étais un animal, je serais…		
12. Un endroit que j'aimerais visiter		
13. Quand je serai adulte, je veux être…		

Adapté de Kagan, 1996.

Billet de coopération

Attribué à :

(nom) ____________________

le : ____________________
(date)

Pour avoir été un camarade de classe

formidable en : ____________________
(le geste)

Au cours de l'année scolaire, vous pourrez ajouter des questions comme celles de l'activité « Trouve quelqu'un qui te ressemble ».

Vous pouvez bâtir l'esprit de classe en organisant des activités spécifiques ou communes. Si une classe rend visite à un groupe d'élèves plus jeunes pour leur lire des histoires, les plus grands en ressortent avec un sentiment de fierté et d'appartenance. Voici quelques activités favorisant l'appartenance à un groupe.

Vous demandez à vos élèves d'observer des gestes de coopération, d'aide et de soutien dans la classe pendant la journée. Chaque fois qu'ils sont témoins de tels gestes, ils vous en font part. Vous rédigez alors un billet de coopération et le remettez à l'élève qui a fait le geste. Tous les billets sont collés à un ruban autour de la classe ou transformés en degré qui font monter le thermomètre de la classe (*voir l'article 3.7 du mois de novembre*).

Structure

Les cercles concentriques

Les cercles concentriques favorisent l'interaction et les regroupements informels lors de courtes activités.

Démarche

1. Attribuer un chiffre (1 ou 2) à chaque élève de manière à pouvoir constituer deux groupes égaux : le groupe 1 et le groupe 2.
2. Former deux cercles concentriques (1er cercle : groupe 1 ; 2e cercle : groupe 2) qui se font face.
3. Demander à chaque élève de se placer face à un partenaire.
4. Poser une première question, par exemple « Quels sont tes projets pour la semaine de relâche ? ».
5. Les partenaires (1 et 2) échangent leur réponse.
6. Demander aux élèves situés dans le cercle intérieur (1) de se déplacer de trois pas vers la gauche afin de se retrouver devant un nouveau partenaire.
7. Poser une deuxième question, par exemple « Peux-tu résumer le livre que tu as lu ou le film que tu as vu récemment ? ». Les partenaires ont chacun deux minutes pour échanger leur réponse (chronométrer les échanges).

8. Demander aux élèves situés dans le cercle extérieur de se déplacer de quatre pas vers la droite afin de se retrouver devant un autre partenaire.
9. Poser une dernière question, par exemple « Peux-tu indiquer à ton partenaire l'activité récréative que tu préfères ? ». Les nouveaux partenaires échangent leur réponse.

Généralement, les écoles ne consacrent pas assez de temps à **célébrer le succès.** Les élèves ont pourtant beaucoup de choses à célébrer : une note parfaite, une amélioration remarquable, un effort soutenu, un projet intéressant, la synergie d'une équipe, des gestes d'aide, la générosité désintéressée. Les enseignants ont également des raisons de souligner le succès : des idées d'enseignement intéressantes, l'organisation d'événements spéciaux, la participation à un comité efficace, la contribution à la solution d'un problème. On devrait fêter les personnes, les groupes, les élèves d'une classe ou l'ensemble du personnel, et le faire sans entamer le moindrement la routine de notre enseignement ! Rien ne motive autant les enfants et les adultes que la reconnaissance ! Il ne s'agit pas ici de reconnaissance sous forme d'un A+ muet dans un examen ou d'un chèque de paie ; il s'agit plutôt d'une appréciation manifeste, publique, verbale et sincère exprimée par les pairs (élèves ou collègues) et par vous ! Il est essentiel de reconnaître et de célébrer les réussites pour créer un esprit de groupe et bâtir l'esprit de classe.

Votre sourire, une tape dans le dos, « Bonjour Marco », « Très bel effort Susie », etc., ont plus de valeur que vous ne l'imaginez[5]. Ce sont de grandes motivations et d'excellentes façons de modeler les comportements sociaux que nous voulons inculquer à nos élèves.

5. Trudeau, Hélène, Céline Desrochers et Jean-Louis Tousignant. *Et si un geste simple donnait des résultats. Guide d'intervention personnalisée auprès des élèves*, Montréal, Chenelière/McGraw-Hill, 1997.

1.6 Recourir à l'enseignement magistral en utilisant à l'occasion les regroupements informels

«Comment savoir s'ils ont la bonne réponse? J'ai perdu le contrôle»

Le passage de l'enseignement magistral à la pédagogie de la coopération peut faire en sorte que vous ayez l'impression de perdre le contrôle.
Ce n'est qu'une impression.

C'est en groupe de deux que l'expérience coopérative se fait le plus facilement. Posez une question et, au lieu de nommer une ou un élève, dites: «Donnez la réponse à votre partenaire.» De cette façon, une moitié des élèves donne la réponse et l'autre moitié écoute activement. Ensuite, trois possibilités s'offrent à vous:

a) Choisir trois élèves au hasard dans la classe pour donner la réponse;
b) Demander aux paires d'élèves de donner la réponse convenue sur une feuille et de vous la montrer, à condition qu'il s'agisse d'une réponse simple;
c) Si vos élèves peuvent répondre par oui ou par non (il faut poser les questions en conséquence), ils répondent avec leur pouce, en le pointant vers le haut ou vers le bas.

En adoptant cette méthode, vous avez une idée du pourcentage des élèves qui ont bien compris. Si vous interrogez un élève en particulier, comme dans l'enseignement traditionnel, vous contrôlez la bonne réponse, mais vous ignorez ce que les autres élèves savent ou ont appris après avoir écouté.

Le principe 10-2

Le principe 10-2 signifie que, toutes les 8 à 10 minutes, vous devriez en consacrer 2 à la réflexion ou à une certaine forme de manipulation cognitive de l'information. Après 8 à 10 minutes, la capacité de notre esprit à emmagasiner de l'information est à peu près nulle. Ce principe 10-2 s'applique aux élèves plus âgés. Avec les plus jeunes, il est important de le modifier pour qu'il corresponde au niveau de développement cognitif des élèves.

Les groupes informels

Vous pouvez commencer à présenter la coopération à vos élèves sans les déplacer, en les regroupant de façon informelle.

Les groupes informels permettent aux élèves de discuter spontanément des idées présentées pendant une leçon. Vous formez ces groupes en demandant à vos élèves de se tourner vers leur voisin et de se consulter.

En groupes informels, vos élèves peuvent clarifier et approfondir des informations, et vérifier des idées auprès de leurs camarades avant de les présenter à la classe. Ces discussions filtrent ou appuient souvent des idées qui, autrement, n'auraient pas fait l'objet d'une discussion en classe. Ces groupes donnent aussi à vos élèves la

> « Un des effets négatifs de l'enseignement magistral est que nos étudiants se désintéressent du processus d'apprentissage. Avec l'apprentissage coopératif, les groupes me permettent de vérifier ce qu'il faut clarifier et m'incitent à demander aux étudiants de réfléchir à ce qui a été enseigné. »
>
> (Un professeur d'université)

liberté de penser à voix haute sans subir la pression que peut créer un vaste auditoire.

Beaucoup d'enseignants préfèrent des groupes informels comptant de deux à quatre membres. Un groupe de deux se forme très facilement et assure la participation active des deux partenaires. Un groupe de trois ou quatre offre à tous les membres plus de sources de discussions et plus d'occasions de participer.

Vous pouvez faire appel aux groupes informels en tout temps. Au début d'une leçon, les partenaires assis côte à côte peuvent discuter pour évaluer leurs connaissances, poser des questions et éveiller l'intérêt des autres pour un nouveau sujet. À la fin d'une leçon, les élèves peuvent discuter pour résumer, réviser et analyser les informations, ou pour cibler de nouveaux enjeux.

Structure

1 - 2 - 3
Réfléchir - Partager - Discuter

Démarche

1. Présenter un sujet aux élèves en posant des questions telles que « Qu'est-ce qu'un participe passé ? » « Qu'est-ce qu'un triangle ? »
2. D'abord, les élèves réfléchissent individuellement ; ils formulent ensuite leur réponse.
3. Ils partagent leur réponse avec leur partenaire et en discutent (paires).
4. Ils partagent leurs idées avec les autres membres du groupe (groupe de 4) ou le groupe-classe.

Les discussions en petits groupes sont aussi utiles au cours d'une leçon. Pendant votre présentation, vous pouvez faire une pause à point nommé pour, par exemple, demander aux groupes informels d'énumérer les trois derniers points, de clarifier deux questions ou de trouver l'idée principale. À l'occasion, des groupes informels pourront travailler continuellement pendant la leçon.

1.7 Structurer la réflexion critique orale après chaque activité coopérative

Que vous structuriez des activités de développement d'esprit de classe ou des activités coopératives pour des groupes informels, vous devriez présenter le processus de réflexion à vos élèves en apprentissage coopératif. Sans lui, ils sont incapables d'apprendre à interagir efficacement. Le terme réflexion critique est spécifique au travail coopératif en groupe, car il définit le processus de métacognition sur le travail en coopération. Même dans les classes structurées de façon individuelle, les élèves tirent profit de la réflexion sur la façon dont ils ont acquis des habiletés ou des stratégies. La réflexion sur le processus d'apprentissage améliore la compréhension du sujet. Quand un groupe d'élèves apprend ensemble, la réflexion critique constitue une étape indispensable qui doit suivre la séance d'apprentissage.

Pendant cette étape, les élèves pensent à leur façon de suivre vos consignes pour l'activité, ils en discutent et écrivent sur le sujet.

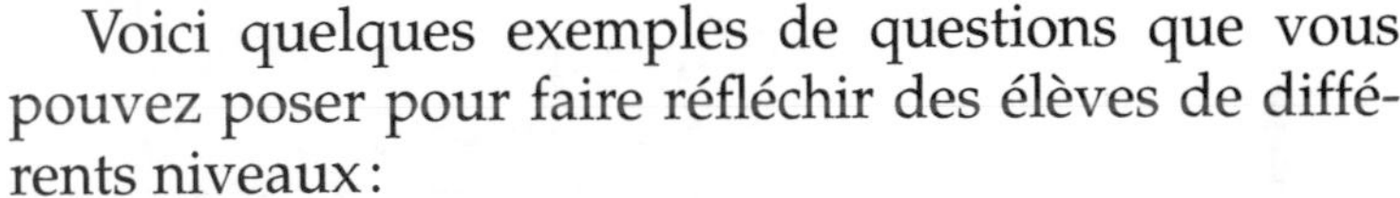

Voici quelques exemples de questions que vous pouvez poser pour faire réfléchir des élèves de différents niveaux :

- Avons-nous parlé à voix basse ?
- Nous sommes-nous déplacés dans la classe sans déranger les autres ?
- Avons-nous terminé le travail prévu ?
- Ai-je aidé ma partenaire ou mon partenaire à comprendre, au lieu de lui donner simplement la réponse ?
- Ai-je donné ma réponse à ma partenaire ou à mon partenaire ?
- Ai-je partagé le crayon et le papier ?
- Ai-je attendu mon tour pour parler ?
- Ai-je posé des questions pour trouver ma place dans la file ?
- Ai-je aidé les autres à trouver leur place dans la file ?
- Ai-je obéi au signal du silence ?
- Ai-je encouragé ma partenaire ou mon partenaire à participer ?

La façon la plus facile de « procéder », souvent utilisée avec les plus jeunes élèves, est visuelle.

La réflexion est représentée par trois doigts : à la fin d'une activité coopérative, dites « Ai-je parlé à voix basse ? » et demandez à vos élèves de donner une note avec les doigts d'une main. Trois doigts signifient oui ; deux, parfois ; un, non. Choisissez au hasard des élèves pour qu'ils donnent et expliquent leur note à la classe. L'explication est une composante très importante. Vous pouvez demander à des élèves plus âgés d'utiliser une échelle de cinq doigts.

Si l'activité se fait deux par deux, vos élèves peuvent montrer leur note à leur partenaire au lieu de vous la montrer. Vous demandez ensuite à plusieurs élèves choisis au hasard de donner leur réponse.

Vous pouvez aussi le faire oralement : devant la classe ou avec un partenaire, l'élève doit répondre à une question sur la façon dont il a participé à l'activité.

Au début, ce processus devrait être utilisé après chaque activité coopérative. Vous devez prévoir suffisamment de temps avant la fin du cours pour cette importante conclusion sans laquelle les éléments de cette activité coopérative que vous voulez réussir ne seraient pas transmis à la prochaine expérience d'apprentissage.

1.8 Reconnaître le rôle des émotions dans le processus d'apprentissage

Le rôle des émotions dans le processus d'apprentissage apparaît de plus en plus évident aux yeux des chercheurs et des enseignants. La sécurité constitue un besoin humain fondamental. Cela signifie que les élèves doivent éprouver un sentiment d'appartenance, sentir qu'ils sont acceptés et encouragés. Ces besoins affectifs des élèves doivent être comblés si nous voulons qu'ils soient des apprenants efficaces. Sylwester (1995) explique la structure des trois cerveaux ainsi que l'importance du plaisir dans le processus d'apprentissage.

Le cerveau humain se compose de trois parties : le tronc cérébral, responsable des **fonctions vitales de base** (circulation, respiration, comportements instinctifs), le cerveau limbique – principal centre des **émotions** et de la mémoire – et le néocortex ou nouveau cerveau des mammifères. L'**apprentissage** et la **prise de décision** se font dans le néocortex, où est aussi située notre fonction linguistique.

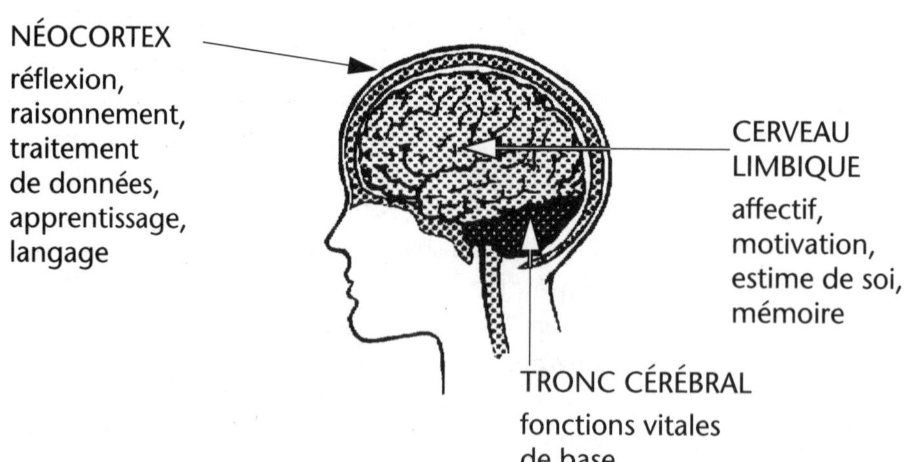

Qu'arrive-t-il en cas de privation physiologique, comme la faim, la fatigue ou la menace ? Le sang circule alors dans les zones inférieures du cerveau, donc loin de notre centre d'apprentissage, afin d'assurer les fonctions vitales de base. Si nous ne pouvons pas nourrir l'élève affamé, nous pouvons à tout le moins répondre aux besoins de l'élève inquiet de ses capacités, de son influence ou de son intégration dans le groupe. La création d'une classe accueillante, l'élimination ou la réduction de la concurrence par la valorisation et le développement d'esprit de groupe ou de classe favoriseront l'apprentissage à plusieurs égards :

- en stimulant le centre d'apprentissage du cerveau ;
- en promouvant les interactions positives et en comblant le besoin d'apprendre par l'intermédiaire de l'interaction sociale ;
- en fournissant diverses stratégies d'enseignement.

Moments de réflexion

Septembre **1er mois**

Ai-je eu ou ai-je pris le temps ✔

1.1 De mettre pleins feux sur les valeurs de la coopération ❑
Les coins ❑

1.2 De mettre pleins feux sur la valeur de la confiance ❑
La chenille aveugle ❑
Activités pour créer la confiance
Peut-on me faire confiance ? ❑
Discuter de la signification et de l'importance de la confiance ❑
Fais-moi confiance, je te fais confiance ❑

1.3 D'établir un code de vie démocratique en classe ❑
Affaires d'argent ❑

1.4 De structurer le principe du plaisir d'apprendre ❑
Observer et dépister les relations de statut chez les élèves ❑

1.5 D'utiliser des activités qui développent l'esprit de classe et qui visent à promouvoir un climat affectif propice à l'apprentissage
Briser la glace
Jeux de casse-tête ❑
Mêler-jumeler-questionner ❑
Appréciation
En file ❑
Trouve quelqu'un qui te ressemble ❑
Les cercles concentriques ❑

1.6 De recourir à l'enseignement magistral en utilisant à l'occasion les regroupements informels ❑
Les groupes informels ❑
1 - 2 - 3 Réfléchir - Partager - Discuter ❑

1.7 De structurer la réflexion critique orale après chaque activité coopérative ❑

1.8 De reconnaître le rôle des émotions dans le processus d'apprentissage ❑

Mes notes personnelles

____

____

Octobre

2e mois

Confiance

✔ Ouverture envers les autres

Entraide

Égalité

Droit à l'erreur

Solidarité

Engagement

Plaisir

Synergie

INTRODUCTION

Vous pouvez être fier de vous : vous êtes en train de créer un climat de coopération dans votre classe. L'étape suivante consiste à structurer vos groupes de base en vue d'un soutien et d'un apprentissage à long terme. Dans ce chapitre, vous prendrez conscience de l'importance des groupes de base, des stratégies pour déterminer leur composition et des structures pour créer un esprit de groupe. Les habiletés de coopération nécessaires à un apprentissage efficace constituent également un autre thème important. Nous vous présenterons une liste d'habiletés ainsi que les façons de les enseigner et de donner vos commentaires à vos élèves. Gardez à l'esprit qu'il faut discuter de l'importance de la coopération avec eux.

Même si vous vous êtes efforcé de créer un climat de confiance où chacun est accepté, vos élèves craindront d'être assignés à un groupe d'élèves que vous aurez choisi. Pour faciliter ce processus, avisez-les environ deux semaines à l'avance que vous allez structurer de nouveaux groupes à long terme en tenant compte, dans une certaine mesure, de leurs préférences. Mentionnez-leur aussi que pendant l'année les groupes changeront et que, à la longue, chacun aura travaillé avec tout le monde dans la classe.

2.1 Pleins feux sur l'ouverture envers les autres

Plusieurs facteurs déterminent les comportements de vos élèves : la personnalité, avec ses aspects innés et acquis, les habitudes acquises sous la pression de l'environnement physique et social, les attentes des autres, l'estime de soi et la présence de modèles de comportement positifs.

En classe, vous êtes le principal motivateur des comportements sociaux de vos élèves. *Faites ce que je vous dis de faire et non ce que je fais* ne tient plus. Si nous voulons que nos élèves s'ouvrent aux autres, abandonnent leurs préjugés et se donnent la chance de connaître l'autre, nous devons être les premiers à donner l'exemple. Vous préparez vos élèves à faire partie d'un groupe de base en alimentant leur répertoire de comportements sociaux.

Soulignez leurs comportements positifs

Avisez vos élèves que vous les observerez pour déceler chez eux des comportements faisant preuve d'ouverture envers les autres. En fin de journée ou de semaine, selon le niveau de votre classe et le temps que vous avez passé avec votre groupe, faites vos commentaires en nommant ou non les élèves en question. Tâchez d'être précis et de ne pas les féliciter outre mesure.

« Je vous ai promis de vous transmettre mes observations sur l'ouverture envers les autres. Ce matin, j'ai vu Jessica parler à Daniel pour la première fois cette année. Sara a demandé à Chloé de s'asseoir à côté d'elle à l'heure du lunch. Alors que nous travaillions en groupes de trois, Marc a apporté des livres au groupe de trois élèves près de la fenêtre. Remarquez bien que je passe sous silence toutes les conversations qui ont eu lieu et tous les comportements observés entre amis. »

Discutez avec vos élèves de la signification de l'ouverture envers les autres, de ce qui effraie dans ce concept et de ses retombées positives éventuelles. Écrivez quelques-unes des réponses au tableau. Rappelez à vos élèves qu'ils feront bientôt partie de groupes de base durant les 8 ou 10 prochaines semaines, et qu'ils devront faire preuve d'ouverture envers les autres. Mentionnez-leur que ce sera plus facile s'ils se retrouvent avec leurs amis et plus difficile dans le cas contraire. Demandez-leur de former des duos informels et de faire un remue-méninges sur quelques comportements qui pourraient démontrer une ouverture d'esprit dans le contexte de la classe.

2.2 Créer vos groupes de base

Les groupes de base visent à favoriser l'encadrement et l'apprentissage par les camarades. Vous devez former soigneusement ces groupes de deux, trois ou quatre élèves qui travailleront ensemble pendant de longues périodes, peut-être toute la session. Attendez de connaître vos élèves avant de former ces groupes. Vous serez ainsi en mesure de constituer des groupes dont les membres pourront nouer de bonnes relations à long terme. Sur le plan du développement social et personnel, les groupes de base permettent, dans un cadre structuré, l'épanouissement du sentiment d'appartenance, et le développement de l'affection et du respect de soi comme des autres. Les élèves apprennent à s'entendre avec autrui, à résoudre des conflits, à contribuer au bien-être de leurs camarades et à lier de nouvelles amitiés.

Sur le plan du développement scolaire, les groupes de base permettent aux élèves, dans un cadre structuré, de s'exprimer, de connaître les réactions de leurs camarades, d'encourager les efforts des autres et de partager des informations et des idées. À mesure que les membres du groupe apprennent à se respecter et à se faire confiance, le groupe parvient à sanctionner les efforts scolaires et devient un lieu de soutien propice aux discussions sur les enjeux scolaires. Au début, vous donnez des directives précises aux groupes de base. Cependant, une fois que vos élèves développent une appartenence au groupe, ils en assument volontiers la responsabilité et élaborent des directives et des attentes qui leur sont propres.

Parce que les groupes de base exigent un engagement à long terme, ils constituent le cadre idéal pour l'apprentissage des habiletés coopératives. En travaillant, en réfléchissant et en déterminant ensemble de nouveaux objectifs, les élèves établissent la confiance au sein du groupe, deviennent plus à l'aise les uns avec les autres et appuient mutuellement leurs efforts pour travailler ensemble efficacement. Les enseignants qui ont fait appel à des groupes de soutien à long terme (équipes de joueurs en éducation physique, groupes de travail en sciences sociales ou groupes d'études techniques) s'apercevront qu'en insistant sur l'apprentissage d'habiletés de coopération ces groupes peuvent devenir des groupes de base très efficaces.

Vous pouvez utiliser la grille sociométrique pour déterminer efficacement la composition de vos groupes de base. Dans le plus grand secret, demandez à vos élèves de vous indiquer avec quels camarades ils préféreraient éviter de travailler et ceux avec lesquels ils seraient davantage en terrain neutre. À l'aide de cette liste et du rendement scolaire des élèves observé au cours du mois de septembre, vous pouvez créer de solides groupes d'apprentissage coopératif. N'oubliez pas de souligner à vos élèves l'importance de l'ouverture envers les autres et de l'acceptation des autres avant qu'ils n'expriment leurs choix. Dites à vos élèves que vous tiendrez compte de leurs préférences sans nécessairement y adhérer complètement. Le principe d'hétérogénéité exige que le groupe de base soit composé d'élèves de différents niveaux de capacité. D'autres facteurs que le niveau de capacité guideront certainement vos élèves quand ils devront choisir les membres de leur futur groupe.

Procédez de la façon suivante :

1. Pour structurer vos groupes de base, servez-vous des feuilles de préférences que vos élèves vous ont remises.
2. Déterminez les groupes où les capacités sont mal équilibrées et changez leur composition en conséquence.
3. Vérifiez les traits de personnalité qui pourraient provoquer des conflits ou ralentir la productivité. Changez la composition des groupes en conséquence.

Il est important que vous célébriez la création de vos groupes de base en classe.

2.3 Organiser les premières activités des groupes de base

Une fois vos groupes formés, il est très important que vous organisiez des activités pour aider les élèves à s'intégrer à leur groupe. Vos élèves ont besoin d'éprouver un sentiment d'appartenance, de pouvoir, de possibilité de réussite et de plaisir au sein de ces groupes nouvellement formés. Prenez le temps de créer un esprit de groupe. Pour favoriser cette intégration, vous pouvez créer des structures coopératives telles que la grille du groupe de base, et les armoiries du groupe.

Structure

Grille du groupe de base

Démarche

1. Remettre une grille à chaque élève (*voir l'annexe 3*). Chaque membre du groupe inscrit son nom et le nom de ses coéquipiers dans les cases situées sous le titre **Grille du groupe.** Prévoir autant de colonnes qu'il y a de membres dans le groupe.
2. Présenter ensuite aux élèves des questions portant sur des sujets à contenu pédagogique ou social, par exemple «Quel est ton livre préféré?» «Qu'aimerais-tu faire plus tard?» «Quelle est la matière où tu réussis le mieux?» «Quel sport pratiques-tu?» «Quel projet aimerais-tu réaliser durant les périodes d'enrichissement?», etc. Prévoir des réponses courtes. Chaque élève écrit les questions dans les cases numérotées (une question par case). Les élèves plus jeunes ou éprouvant des difficultés peuvent illustrer leurs réponses par un dessin ou un collage.
3. Après un temps de réflexion, les élèves écrivent leurs propres réponses dans la colonne correspondant à leur nom.
4. À tour de rôle, chaque élève communique aux autres ce qu'il a écrit. Les autres écoutent, posent des questions et inscrivent la réponse de leur coéquipier dans la colonne réservée à son nom, à côté de la question posée.

Structure

Armoiries

Démarche

1. Prendre une feuille divisée en autant de parties égales qu'il y a de membres dans le groupe. Inscrire le nom des membres dans les parties, un nom par partie. Dessiner un cercle au centre.
2. À tour de rôle, les élèves répondent à des questions. Ensuite, ils échangent des informations sur eux-mêmes afin de trouver des points communs.
3. Quand un élément est commun à tous les membres, on l'inscrit dans le cercle.
4. À partir de cette information, les élèves peuvent créer un symbole représentant le groupe.

Suggestions de questions:

- À quel endroit voudrais-tu aller en voyage?
- À quel concert voudrais-tu assister?
- Quelle est ta musique préférée?
- Quelle est ta collation préférée?

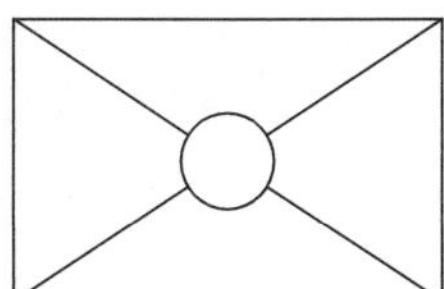

Voici deux autres activités à faire avec les groupes de base. La première est la vérification des devoirs : les élèves pourront se rencontrer en groupe de base pendant les cinq premières minutes du cours pour vérifier si le devoir a été fait et compris. Il est important de rappeler aux élèves que ce n'est pas le moment de faire son devoir, mais plutôt celui de le vérifier. La seconde activité se déroule à la fin du cours : elle doit encourager les membres à s'entraider dans leur devoir pour qu'ils comprennent bien que l'aide constitue une des valeurs fondamentales de la coopération.

2.4 Enseigner des habiletés de coopération de base

L'importance d'enseigner la coopération

Nous ne venons pas au monde avec une connaissance innée de la coopération ou de l'entregent. La capacité de travailler et de s'entendre avec les autres, à l'intérieur d'un groupe, ne surgit pas comme par magie quand les enfants et les adolescents se retrouvent ensemble. Cinq conditions favorisent l'acquisition des habiletés de coopération. Les voici :

1. Avant d'enseigner les habiletés visées, vous devez d'abord créer un climat propice à la coopération.
2. Vous devez enseigner les habiletés de coopération, car il ne suffit pas de donner une structure coopérative aux leçons. Apprendre à travailler efficacement avec les autres ne se distingue en rien d'apprendre à utiliser un microscope, à jouer du piano ou à conduire une voiture.
3. La relation entre pairs en est l'élément clé. Bien que vous planifiiez les situations d'apprentissage coopératif et définissiez les habiletés à maîtriser, seuls les membres du groupe déterminent si ces habiletés seront mises en pratique et assimilées.
4. L'apprentissage des habiletés de coopération demande toujours un équilibre entre la pression et le soutien venant des pairs.
5. Le plus tôt vos élèves commenceront à acquérir les habiletés de coopération, le mieux ce sera. Des démarches permettent d'enseigner ces habiletés même dans les garderies et les classes du préscolaire. Bien qu'il ne soit sans doute pas superflu d'informer les adultes qui travaillent déjà comme ingénieurs, gestionnaires, enseignants ou secrétaires de la nécessité d'apprendre à travailler plus efficacement ensemble, ce serait un peu tard. Il semblerait qu'il existe un lien direct apparent entre les écoles qui demandent aux élèves de travailler seuls, sans interaction, et le nombre d'adultes dans notre société qui manquent de compétence dans le domaine des relations interpersonnelles.

1er niveau

1. S'en tenir à la tâche.
2. Suivre les consignes.
3. Écouter activement.
4. S'encourager.
5. Participer activement.
6. Remercier.
7. Utiliser le prénom.
8. Demander de l'aide.
9. Offrir de l'aide

Les habiletés de coopération : quoi et comment enseigner

Il est passionnant d'apprendre aux élèves l'art de la collaboration : non seulement cet apprentissage leur permettra-t-il d'acquérir un ensemble d'habiletés utiles, mais il leur offrira aussi une excellente chance d'améliorer leur performance scolaire. Voici les cinq étapes principales nécessaires à l'enseignement des habiletés de coopération.

Étape 1
Amener les élèves à ressentir le besoin d'acquérir l'habileté

Afin d'être motivés à apprendre les habiletés de coopération, les élèves doivent être convaincus qu'il leur sera plus profitable de les connaître que de les ignorer. Vous pouvez vous y prendre de plusieurs façons pour sensibiliser les élèves à l'importance de maîtriser ces habiletés. Dans bien des cas, il suffira de leur fournir de l'information sur la pertinence de ces habiletés en milieu de travail et au sein de la famille. D'autres élèves en prendront conscience en vivant des expériences qui leur permettront de voir de quelle manière ces habiletés peuvent concourir à améliorer leur performance scolaire.

Étape 2
S'assurer que les élèves comprennent l'habileté visée

Souvent, les enseignants se rendront compte que les élèves ne comprennent pas comment mettre en pratique une habileté. Une façon de les aider est de leur demander de faire un remue-méninges pour imaginer comment l'habileté se traduit en gestes et en paroles. Un tableau ou un graphique en T (comme celui qui est présenté à la page suivante) peut être élaboré par la classe et affiché comme point de référence pendant le travail du groupe.

Habileté : s'encourager

Non verbal	Verbal
Signe de la tête, sourire	Bien fait.
Clin d'œil	Bravo !
Regarder tout le monde	Bonne idée.
Se pencher vers l'avant	Continue.
	Tu es capable.

Graphique en T

Les groupes ne devraient pas tenter de travailler à trop d'habiletés en même temps. Il vaut mieux commencer avec une seule parmi les habiletés de base, plus faciles à acquérir et qui sont absolument nécessaires pour entreprendre un travail en coopération (*voir p. 31*).

Étape 3
Structurer les situations permettant aux élèves de mettre en pratique les habiletés choisies

Afin de maîtriser une habileté, les élèves devront la mettre en pratique maintes et maintes fois. La première séance de pratique devrait durer le temps nécessaire pour que chaque élève en prenne connaissance. Il faudrait par la suite répartir les sessions de pratique sur plusieurs jours ou semaines. Pendant que les élèves mettent en pratique l'habileté, vous devriez continuer à donner des consignes oralement et à encourager les élèves à utiliser les habiletés qu'ils maîtrisent déjà.

Étape 4
S'assurer que les élèves révisent leur utilisation des habiletés

Il ne suffit pas de simplement mettre en pratique les habiletés coopératives. En effet, afin d'améliorer leur performance, les élèves auront aussi besoin de décrire ces habiletés, d'en discuter et de réfléchir sur la façon dont ils les mettent en pratique. Réviser l'utilisation des habiletés coopératives suppose une discussion sur l'efficacité et la fréquence avec lesquelles elles sont mises à profit. Afin de s'assurer que les élèves discutent et qu'ils pratiquent la rétroaction sur leur utilisation des habiletés, vous devriez leur fournir le temps et les démarches nécessaires. En général, les stratégies suivantes se révèlent utiles :

1. Désignez un moment spécial pour la réflexion critique, par exemple 10 minutes à la fin de chaque période de travail.
2. Créez des occasions où les membres du groupe pourront pratiquer la rétroaction positive. Démarche possible : chaque membre du groupe rappelle à un autre membre un comportement de coopération que celui-ci a déjà manifesté. Il se peut que vous ayez à amorcer la démarche (et à la réviser de temps en temps) afin que les élèves la prennent au sérieux et l'utilisent correctement.

Étape 5
S'assurer que les élèves mettront en pratique les habiletés avec persévérance

L'apprentissage de la plupart des habiletés se fait lentement. Ensuite vient une période de progrès rapide, suivie d'une période relativement stable, puis d'une autre période de progrès rapide, d'une période de stabilité, et ainsi de suite. Les élèves devront persister à mettre en pratique les habiletés au cours des premières périodes de stabilité afin de bien les assimiler. La plupart des habiletés s'acquerront alors selon les stades suivants :

1. Se rendre compte qu'on a besoin de l'habileté.
2. Comprendre la raison de cette habileté.
3. Faire une première pratique de cette habileté. On se sent toujours gauche en mettant en pratique une nouvelle habileté. Les premières fois qu'on lance un ballon, qu'on joue du piano ou qu'on fait une reformulation, on se sent étrange.
4. Se sentir maladroit en pratiquant la nouvelle habileté. Cette sensation disparaîtra à la longue, et la pratique deviendra plus aisée. Cependant, à ce stade, beaucoup d'élèves continueront à se sentir gauches. Vous devrez alors les encourager à franchir ce stade avec leurs coéquipiers.
5. Utilisation habile (mais peu spontanée) de l'habileté.
6. Utilisation spontanée de l'habileté : celle-ci est complètement assimilée et devient un comportement naturel pouvant être transféré à l'extérieur du contexte d'apprentissage.

Le but de tout apprentissage coopératif est d'atteindre le stade où vous pourrez structurer une leçon coopérative dans laquelle vos élèves pourront mettre à profit leurs habiletés de coopération spontanément pour apprendre la matière présentée. Pour les enseignants et les élèves, atteindre ce stade constitue une récompense qui va bien au-delà d'une amélioration de la performance scolaire !

2.5 Apprendre à observer et à donner une rétroaction efficace

Quand vous commencez à structurer les activités coopératives de votre classe, vous jouez un rôle très important. Vous avez planifié vos activités avec succès et vous consacrerez dorénavant la majeure partie de votre temps à observer les groupes à l'œuvre. Nous ne recommandons pas les grilles sophistiquées ou les listes de contrôle à cette étape de votre calendrier. En circulant dans la classe, vous pourrez donner des signes d'approbation, encourager les groupes à persévérer et aider tout groupe en difficulté. Votre rétroaction devrait être positive ; elle devrait vous permettre de décrire ce que vous avez vu et entendu, et de le faire sur-le-champ. Toutefois, ne faites pas de déclarations critiques sous forme de jugement, à moins que ce ne soit après l'activité ou qu'il s'agisse de félicitations. N'oubliez pas que l'un de vos objectifs, en mettant en pratique les principes énoncés dans cet ouvrage, est de souligner les comportements positifs de vos élèves !

2.6 Structurer l'interdépendance à l'aide de rôles

Les neuf types d'interdépendance

1. *selon les buts* : exemple :
   - tous les membres doivent maîtriser les connaissances
   - une feuille de réponses pour tout le groupe
2. *selon les récompenses* : exemple :
   - des points supplémentaires si tous les membres atteignent le but
3. *selon les ressources* : exemple :
   - une feuille de travail
   - un casse-tête d'expertise
4. *selon les rôles* : exemple :
   - chaque membre joue un rôle
   - l'enseignante ou les élèves changent de rôles
5. *selon la tâche* : exemple :
   - le travail est divisé en sous-tâches consécutives
6. *de l'ennemi extérieur* : exemple :
   - la compétition entre les groupes
   - le temps
7. *d'identité* : exemple :
   - un nom, une chanson de groupe
8. *de survie* : exemple :
   - une situation imaginaire
9. *d'environnement* : exemple :
   - un ruban adhésif sur le sol, face à face
   - un pupitre, quatre chaises

D'après Johnson, Johnson et Holubec, 1997.

L'interdépendance et la responsabilité sont deux principes de l'apprentissage coopératif qui vous aident à structurer les interactions de vos élèves. L'interdépendance signifie que les élèves ont besoin les uns des autres pour atteindre un objectif commun. Neuf types d'interdépendance peuvent être observés dans un groupe coopératif (Johnson, Johnson, Holubec, 1997). Consultez les exemples de l'encadré ci-contre ou allez à la bibliothèque pour trouver des ressources qui vous aideront à structurer ces neuf types d'interdépendance. À cette étape de votre démarche, nous vous suggérons de structurer l'interdépendance à l'aide de rôles.

Chaque fois qu'un groupe s'installe pour travailler, vous devez avoir créé au moins trois types d'interdépendance, dont l'un représente toujours un objectif commun. Vous devez spécifier à votre groupe la nature de son objectif commun et la façon de l'atteindre – en définissant soit les étapes de l'activité, soit les moyens d'atteindre cet objectif.

Pour y parvenir, vous pouvez assigner des rôles aux membres du groupe. L'attribution de rôles ne convient cependant pas toujours à la tâche à exécuter ou au stade de développement coopératif des élèves. Cette étape requiert certaines conditions préalables.

1. Les élèves doivent avoir vécu quelques expériences heureuses de travail en petits groupes.
2. Les élèves doivent avoir acquis des habiletés interpersonnelles de base et les avoir mises en pratique lors d'un travail de groupe.
3. Les élèves doivent faire preuve de confiance envers leurs coéquipiers.

C'est uniquement dans ces circonstances que même les élèves timides et modestes seront disposés à assumer le leadership inhérent à leur rôle, qu'ils pourront « dire aux autres quoi faire » et que « les autres » accepteront ce leadership.

Voici comment on enseigne les rôles :

1. Choisissez un rôle, enseignez-le à la classe et assignez-le à une ou un élève de chaque groupe.
2. À la fin de l'activité coopérative, les membres du groupe doivent répondre à des questions de réflexion critique, telles que « Le capitaine de votre groupe a-t-il joué son rôle ? » « Nous, ses coéquipiers, avons-nous réagi à ce rôle ? » Les élèves devraient faire part de leurs réactions au membre du groupe qui a tenu le rôle ; à son tour, celui-ci devrait dire au groupe ce qui lui a plu et déplu dans ce rôle.
3. Laissez jouer à l'élève le même rôle durant au moins deux activités coopératives, puis assignez le rôle à un autre membre du groupe.
4. Présentez un deuxième rôle à la classe et assignez-le à une ou un élève de chaque groupe.

Les rôles à distribuer sont de deux types : les **rôles liés à une tâche** (par exemple, lectrice ou lecteur, secrétaire et responsable du matériel) et les **rôles liés à une habileté coopérative** (par exemple, animatrice ou animateur, vérificatrice ou vérificateur). Ces deux types de rôles facilitent le fonctionnement du groupe et aident les élèves à devenir des membres productifs. Les élèves apprendront de nouveaux rôles si ceux-ci sont bien définis et, surtout, si vous leur donnez l'occasion de s'exercer. Voici la description de quelques rôles (*voir l'annexe 4, p. 166 à 172, pour les cartes de rôle*).

La **secrétaire** ou le **secrétaire** : il note soigneusement les meilleures réponses du groupe ; il révise ce que le groupe a écrit ; il demande aux membres de vérifier et de signer la feuille de réponses ; il remet ensuite le travail à l'enseignante.

Rôle : la secrétaire ou le secrétaire	
Ce que je fais (non verbal)	**Ce que je dis (verbal)**
• Prise de notes soignée • Attendre les consignes des autres avant d'écrire • Respect • Souci de clarté et de précision	• Est-ce que je note ceci? • Est-ce que j'ai bien compris? • Peux-tu répéter? • Est-ce que vous êtes tous d'accord pour que j'écrive ceci?

La **responsable** ou le **responsable du matériel** : il obtient le matériel et les ressources dont le groupe a besoin ; il assume la responsabilité du matériel et le range soigneusement à la fin de l'activité.

Rôle : la responsable ou le responsable du matériel	
Ce que je fais (non verbal)	**Ce que je dis (verbal)**
• Attention aux consignes données • Distribution du matériel aux membres du groupe • Manipulation soigneuse du matériel • Retour du matériel classé et rangé	• Je vous distribue le matériel requis. • Nous attendons les consignes avant d'utiliser le matériel. • Est-ce qu'il vous manque quelque chose? • Je me charge d'aller chercher ce qu'il vous manque! • Est-ce que je peux vous être utile ? • S. V. P., remettez-moi votre matériel. • Je vous remercie de votre collaboration.

L'**animatrice** ou l'**animateur** : il s'assure que tout le monde est mis à contribution et invite les membres hésitants ou silencieux à participer. Il fait des interventions du type : Jeanne, qu'en penses-tu ? Robert, as-tu quelque chose à ajouter ? Nancy, aide-nous, Joanne, quelles sont tes idées là-dessus ?

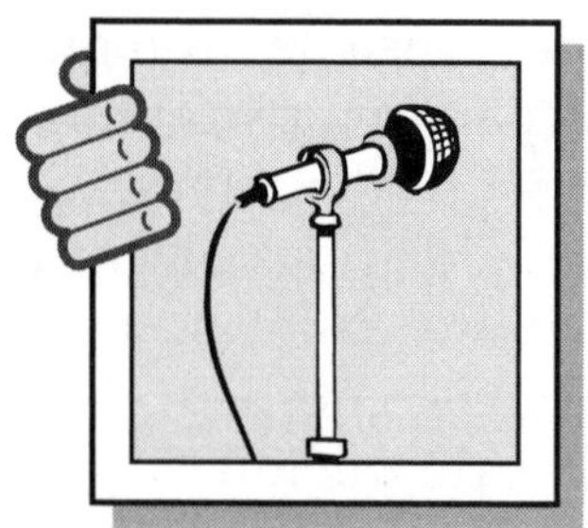

Rôle : l'animatrice ou l'animateur	
Ce que je fais (non verbal)	**Ce que je dis (verbal)**
• Attribution égale du droit de parole en pointant • Gestes d'encouragement	• Avant de commencer, établissons bien nos rôles! • Nous allons réussir ensemble cette tâche! • C'est à ton tour… • Est-ce que ça va? • Est-ce que tout le monde comprend? • Qu'en pensez-vous? • Avez-vous des suggestions?

La **responsable** ou le **responsable du temps:** il s'assure que le groupe complète la tâche en respectant le temps alloué à celle-ci.

Rôle: la responsable ou le responsable du temps	
Ce que je fais (non verbal)	**Ce que je dis (verbal)**
• Regarder l'horloge • Gestes indiquant qu'il faut accélérer • Gestes indiquant le temps qu'il reste	• Commençons tout de suite! • Revenons au sujet! Le temps file! • Il reste… minutes! • Il faut conclure! • Le temps est écoulé!

Il existe d'autres rôles. Par exemple, la **responsable** ou le **responsable du bruit** utilise des signes pour rappeler aux membres du groupe de faire moins de bruit; la **responsable** ou le **responsable de la motivation** stimule le groupe quand il commence à manquer d'ardeur au travail et il encourage les coéquipiers; la **responsable** ou le **responsable des résumés** résume la matière afin que les membres du groupe puissent la vérifier; l'**observatrice** ou l'**observateur** surveille le degré de collaboration des membres; la **responsable** ou le **responsable des questions** posent des questions aux membres du groupe, etc. On peut ainsi créer des rôles «sur mesure» qui correspondent à la tâche et qui conviennent aux élèves.

À cette étape du calendrier d'exécution des tâches, nous vous suggérons d'utiliser uniquement les rôles de base et d'insister sur l'acquisition graduelle et méthodique des habiletés inhérentes à ces rôles. L'attribution de rôles ne conduit pas forcément à la coopération; elle apparaît surtout comme un moyen de promouvoir les interactions coopératives.

2.7 Utiliser les groupes de base pour les tâches scolaires

Vous avez réussi à vous servir des groupes de base pour promouvoir le soutien mutuel et l'estime de soi. Ajoutez maintenant le soutien scolaire à votre objectif. Les groupes de base ont été construits de façon hétérogène afin que la combinaison des forces et des faiblesses garantisse un meilleur taux de réussite quant aux objectifs scolaires. Vous pouvez avoir recours aux groupes de base à toutes les étapes du cycle d'apprentissage, plus particulièrement pour activer les connaissances antérieures (phase préparatoire), pour vérifier la compréhension du contenu de la matière (phase de réalisation), pour réfléchir à l'apprentissage et pour assurer la révision de la matière.

Il est plus facile de commencer par l'activation des connaissances antérieures et la révision de la matière. Par exemple, pour activer les connaissances antérieures avant d'enseigner un module de nutrition, vous pouvez demander aux groupes de base de dresser une liste d'aliments aussi longue que possible dans un temps donné.

Selon leur âge, les élèves devraient ensuite classer les articles par catégories, c'est-à-dire « aliments nutritifs ou non nutritifs », « déjeuner, dîner, souper ou collation », ou selon la classification du *Guide alimentaire canadien*. Vous avez spécifié l'objectif commun. Voici maintenant les moyens qui permettront d'atteindre cet objectif: chaque groupe peut désigner un membre responsable de surveiller le temps et de rappeler le groupe au règlement, c'est-à-dire une animatrice ou un animateur. Rappelez-vous que vous devez d'abord enseigner le rôle et respecter les trois étapes décrites précédemment.

Vous pouvez ensuite recourir aux groupes de base pour réviser la matière enseignée la semaine précédente ou durant la leçon qui vient de se terminer.

- Donnez une feuille de révision au groupe et spécifiez-en l'objectif: chacun des coéquipiers devrait être en mesure d'expliquer toutes les réponses données.
- Posez une question et, plutôt que de désigner une ou un élève, demandez aux coéquipiers de se consulter. Choisissez ensuite au hasard trois groupes différents pour donner la réponse.

2.8 Prendre soin de l'esprit de groupe

Avant que les groupes de base n'entreprennent leur travail scolaire, ils doivent vivre les valeurs préalables pour fonctionner à un niveau profitable à tous.

Pour continuer à investir dans vos groupes de base et atteindre votre objectif, vous pouvez recourir aux structures décrites ci-après.

Structure

Entrevue en trois étapes

Démarche

L'entrevue en trois étapes est une structure qui nécessite l'écoute active chez les participants.

Présenter un sujet aux élèves et poser une question, par exemple « Que pensez-vous de cet événement historique ? », « Quelle est ton opinion sur ce sujet ? »

1. Former deux paires à l'intérieur des groupes de quatre élèves.
2. Un élève interroge son partenaire et vice versa (1 interroge 2, 3 interroge 4 et vice versa).
3. Ensuite, les quatre membres du groupe se regroupent et expriment à tour de rôle ce qu'ils ont appris de leur partenaire lors de l'entrevue (1 rapporte au groupe ce qu'il a appris de 2, et ainsi de suite).

Adapté de S. Kagan, 1996.

Structure

Tempête d'idées

Démarche

1. À partir d'un thème donné (les qualités d'une bonne joueuse ou d'un bon joueur de tennis, les ingrédients qui entrent dans la fabrication du pain, les habitudes de vie d'un enfant habitant en Afrique...), chaque groupe émet le plus d'idées possible dans un temps déterminé. Un élève nommé secrétaire note les idées de son groupe.
2. Indiquer aux élèves que, durant la tempête d'idées, ils ne doivent porter aucun jugement sur les idées des autres membres du groupe, mais qu'ils peuvent exprimer toutes leurs idées, même les plus farfelues, sans être censurés.

   À partir des idées émises, on peut inviter les élèves à en générer de nouvelles. On crée alors des conditions favorisant la synergie.
3. La secrétaire ou le secrétaire est chargé de conserver la feuille sur laquelle sont inscrites toutes les idées de son groupe.
4. Les élèves peuvent ensuite approfondir le thème choisi par des lectures, des recherches, des expériences scientifiques.
5. Lorsque les membres de chaque groupe ont recueilli leurs propres informations, ils vérifient en quoi elles sont semblables ou différentes de celles qui figurent sur leur liste d'idées de départ (tempête d'idées).

Structure

Vérité ou mensonge

Démarche

1. À partir des sujets préétablis se rapportant à la matière à l'étude, les groupes formulent, à propos de ces sujets, des énoncés vrais ou faux, par exemple « Tous les Inuits habitent au Nunavik... »
2. Un des groupes tentera de prendre les autres groupes en défaut quant à leurs affirmations.
3. Les coéquipiers de chaque groupe se consultent et déterminent si l'énoncé est vrai ou faux.

Structure

Jeu de dé

Démarche

1. Distribuer à chaque groupe un dé et une feuille comprenant six questions.
2. À l'intérieur de chacun des groupes, un membre est choisi au hasard. Par exemple, «la personne qui porte un pantalon bleu» peut commencer.
3. L'élève qui commence lance le dé. Il répond à la question correspondant au numéro qui se trouve sur la face supérieure du dé. Les autres membres du groupe posent des questions pour amorcer la discussion.
4. Le jeu continue avec la personne à droite de celle qui vient de lancer le dé et ainsi de suite. Les élèves jouent jusqu'à la fin du temps alloué.

Note: les réponses peuvent être minutées par un des coéquipiers pour assurer une participation égale des membres du groupe.

Structure

Table ronde

La table ronde est une structure qui facilite des contributions égales d'idées et d'opinions de tous les membres du groupe.

Démarche

1. Former des groupes de quatre élèves.
2. Annoncer un thème aux élèves, par exemple les aliments.
3. À tour de rôle, les membres du groupe évoquent une idée concernant le thème annoncé. Ils peuvent nommer un item dans une catégorie, par exemple fromage, yogourt ou biscuit. Ils peuvent aussi exprimer leur opinion à propos du thème, par exemple le fromage appartient au groupe des produits laitiers ou le biscuit appartient au groupe des produits céréaliers, ou encore j'aime le yogourt aux fraises, j'aime le pain à la viande, etc. Les interventions se font toujours dans le même sens et sans interruption.
4. Au bout de quelques minutes, les membres du groupe peuvent discuter afin d'arriver à un consensus sur un item ou une idée mentionnée, par exemple l'aliment le plus rare.

Adapté de S. Kagan, 1996.

Structure

Proposer des solutions

Démarche

1. Distribuer des fiches à chaque groupe.
2. Durant deux ou trois minutes, les élèves écrivent les éventuels problèmes qui pourraient nuire au bon fonctionnement du groupe (un problème par fiche). Ils déposent tous les problèmes dans une boîte.
3. À tour de rôle, les membres du groupe tirent un problème et proposent des solutions. Les autres membres participent seulement si la lectrice ou le lecteur le leur demande.
4. Ensuite, ils discutent de la façon que cette activité peut les aider à améliorer leur groupe.

Facultatif : les groupes choisissent trois problèmes et les solutions dont ils sont le plus fiers, et partagent celles-ci avec la classe. Les solutions sont déposées dans la boîte de solutions de la classe pour pouvoir servir plus tard. Chaque fois qu'un groupe trouve une bonne solution durant une activité de réflexion critique, cette solution peut être déposée dans la boîte.

Adapté de S. Kagan, 1996.

2.9 Favoriser le partage de l'information et faire de la pratique guidée

Le temps est venu d'élargir l'utilisation des structures. Tout en respectant les stades de l'apprentissage efficace, vous pouvez utiliser les structures décrites ci-après pour promouvoir le partage de l'information et la pratique guidée. Ces interactions coopératives favoriseront la consolidation de l'apprentissage individuel. Vous serez alors en train de « construire le savoir ».

Structure

Graffitis collectifs

Démarche

1. Sur une seule grande feuille, les membres d'un groupe, utilisant chacun un stylo de couleur différente, écrivent les idées sur un sujet donné. Cette activité peut être faite à l'aide d'un schéma proposé par l'enseignante ou par le groupe.
2. Après le délai fixé, les membres du groupe cessent d'écrire, regroupent leurs idées en examinant les similitudes, les différences et les relations qui existent entre elles. On peut à cette étape-ci confier différents rôles aux membres, qu'il s'agisse par exemple de lire, de vérifier ou de noter, pour encourager la participation de chacun.
3. Les membres du groupe préparent une version orale ou écrite qu'ils présenteront au groupe-classe.

Structure

Graffitis circulaires

Démarche

Pour donner à tous les groupes de la classe l'occasion d'émettre leurs idées sur chacun des sujets à l'étude, on peut organiser un exercice de graffitis circulaires.

1. Chaque groupe fait des graffitis sur un sujet en s'inspirant de l'étape 1 de la structure Graffitis collectifs.
2. Au bout d'un laps de temps assez court, les groupes cessent d'écrire et passent leurs feuilles aux groupes voisins, dans le sens des aiguilles d'une montre.
3. Chaque groupe vérifie sur la feuille le sujet dont il est question et commence immédiatement à ajouter ses graffitis. La répétition des idées n'est pas exclue.

Encourager les élèves à écrire le plus d'idées possible sans perdre de temps à lire ce que les autres ont noté. On continue ainsi jusqu'à ce que chaque feuille soit revenue à son point de départ.

4. Les membres de chacun des groupes se chargent ensuite de classer par catégories les idées exprimées par tous les groupes sur cette feuille.
5. Enfin, chaque groupe présente à la classe un résumé de ses conclusions.

2.10 Favoriser la maîtrise des connaissances

Toujours à la phase de la réalisation des apprentissages, les élèves vont profiter du travail en coopération pour maîtriser leurs propres connaissances.

La diversité des opinions et des apports permettra à chaque élève d'apprendre en profondeur plutôt qu'en surface.

Nous devons encourager nos élèves à dépasser la mémorisation pour arriver à un stade supérieur de l'apprentissage tel que acquérir la maîtrise des connaissances.

Les structures coopératives que nous suggérons ici vous donneront les moyens d'atteindre ce but.

Structure

Consultation des membres du groupe

Démarche

1. Former des groupes de quatre élèves.
2. Distribuer une liste de questions ou de problèmes à chaque groupe.
3. Demander à tous les élèves de déposer leur crayon au milieu de la table (c'est une bonne idée d'avoir un porte-crayon).
4. Le lecteur désigné lit la première question concernant la matière à l'étude.
5. Les élèves cherchent la réponse en discutant entre eux ou à l'aide d'un ouvrage de référence.
6. L'élève à la gauche du lecteur joue le rôle du vérificateur et veille à ce que chacun des membres de son groupe ait compris la réponse et soit d'accord.
7. Quand il y a consensus, tous les élèves prennent leur crayon et écrivent la réponse dans leurs propres mots.
8. Les élèves passent à la deuxième question. Le vérificateur devient le nouveau lecteur et lit maintenant la question; la personne à sa gauche devient vérificateur, et on continue en alternant les rôles.

Structure

Vérification par « paires »

Démarche

1. Former des groupes de quatre élèves.
2. Les membres de chaque groupe travaillent deux par deux. Le premier de la paire doit résoudre le premier problème*, alors que le second agit comme vérificatrice ou vérificateur. Si le vérificateur convient que le premier élève a bien résolu le problème, il doit le féliciter. Les rôles sont ensuite inversés.
3. Quand les deux élèves ont terminé les deux premiers problèmes, il faut s'arrêter. Il faut d'abord vérifier les résultats avec l'autre paire. Si les quatre élèves sont en désaccord au sujet des deux premiers problèmes, il faut trouver ce qui ne va pas. Pour ce faire, ils peuvent consulter un autre groupe. Quand les deux paires sont d'accord sur les deux premiers problèmes, les membres du groupe se serrent la main, puis passent aux deux problèmes suivants.
4. Il ne faut pas oublier d'inverser les rôles après chaque problème. Le premier élève fait les problèmes dont le numéro est impair, et le second ceux dont le numéro est pair. À tous les deux problèmes, il faut vérifier les résultats avec l'autre paire du groupe.

* *Le mot « problème » ne s'applique pas uniquement à la mathématique. Il peut s'appliquer à toute forme de contenu présenté ou de tâche à accomplir.*

2.11 Faire la réflexion critique après chaque activité coopérative

À mesure que vous achevez une activité coopérative, assurez-vous que vos élèves aient l'occasion de réfléchir au fonctionnement du groupe. Comme ils n'ont pas nécessairement la capacité de porter un regard critique sur les comportements des autres, nous vous recommandons aussi qu'ils pratiquent l'introspection en acquérant cette habileté. Ils peuvent se poser des questions comme « Est-ce que je participe ? », « Est-ce que j'apporte quelque chose au groupe ? », « Aujourd'hui, ai-je été un membre efficace ? » Comme vous avez une habileté coopérative à l'esprit et que vous l'avez explicitement enseignée à l'aide d'un graphique en T (*voir p. 32-33*) ou en donnant un exemple, il est maintenant important que vos élèves réfléchissent à sa mise en pratique.

Suggestions de questions pour une réflexion individuelle

- Comment ai-je encouragé les autres à participer?
- Ai-je écouté les idées des autres?; y ai-je réagi?
- Quelle a été ma réaction quand j'étais en désaccord avec l'idée d'une autre personne?
- Comment ai-je mis en pratique l'habileté coopérative appelée ______________?
- Comment puis-je améliorer ma contribution au travail du groupe?

Voici quelques questions pour plus tard.

- Quelles nouvelles idées ai-je apprises au cours de la discussion du groupe aujourd'hui?
- Quelles sont les questions restées sans réponse après l'activité du groupe?
- Qu'est-ce que j'aimerais apprendre encore?
- Qui pourrait m'aider à mieux comprendre?
- Quelle a été ma contribution à la discussion?

Cette réflexion peut se faire de deux façons:

- Vous posez des questions introspectives, et quelques élèves volontaires échangent leurs réponses avec le groupe-classe;
- Vous posez des questions introspectives, et les élèves volontaires échangent d'abord leurs réponses avec leur groupe, puis avec le groupe-classe.

2.12 Créer un coin de coopération dans la classe

Si vous êtes titulaire d'une classe, vous pouvez facilement réserver un coin de votre local pour y exposer les concepts et les représentations de la coopération et des activités coopératives de vos élèves. Si plusieurs groupes utilisent le même local, l'exposition sera beaucoup plus discrète, selon le nombre de groupes qui bénéficient de votre enseignement de la coopération. Cependant, certains signes permanents exprimant ce qui se passe dans cette pièce devraient être visibles pour tous.

Voici quelques idées pour votre « coin » de coopération (même s'il ne s'agit que d'affiches de 28 cm × 43 cm, près du plafond) :

- Une liste d'habiletés de coopération encerclées ou cochées une fois qu'elles sont acquises ;
- Le graphique en T actuel ou le vocabulaire correspondant à l'habileté coopérative en cours ;
- Les noms des groupes de base et ceux de leurs membres ;
- Le tableau de motivation des groupes : résultats, points d'amélioration, réussites (*voir l'article 3.7 du mois de novembre, à la page 60*) ;
- Le code de vie de la classe ;
- Les valeurs de la coopération.

Moments de réflexion

Octobre **2e mois**

Ai-je eu ou ai-je pris le temps ✔

- 2.1 De mettre pleins feux sur l'ouverture envers les autres ❑
- 2.2 De créer vos groupes de base ❑
- 2.3 D'organiser les premières activités des groupes de base ❑
  - *Grille du groupe de base* ❑
  - *Armoiries* ❑
- 2.4 D'enseigner des habiletés de coopération de base ❑
  - L'importance d'enseigner la coopération ❑
  - Les habiletés de coopération: quoi et comment enseigner ❑
- 2.5 D'apprendre à observer et à donner une rétroaction efficace ❑
- 2.6 De structurer l'interdépendance à l'aide de rôles ❑
- 2.7 D'utiliser les groupes de base pour les tâches scolaires ❑
- 2.8 De prendre soin de l'esprit de groupe ❑
  - *Entrevue en trois étapes* ❑
  - *Tempête d'idées* ❑
  - *Vérité ou mensonge* ❑
  - *Jeu de dé* ❑
  - *Table ronde* ❑
  - *Proposer des solutions* ❑
- 2.9 De favoriser le partage de l'information et faire de la pratique guidée ❑
  - *Graffitis collectifs* ❑
  - *Graffitis circulaires* ❑
- 2.10 De favoriser la maîtrise des connaissances ❑
  - *Consultation des membres du groupe* ❑
  - *Vérification par «paires»* ❑
- 2.11 De faire la réflexion critique après chaque activité coopérative ❑
- 2.12 De créer un coin de coopération dans la classe ❑

Mes notes personnelles

____

____

Novembre

3e mois

Confiance

Ouverture envers les autres

✔ Entraide

Égalité

Droit à l'erreur

Solidarité

Engagement

Plaisir

Synergie

INTRODUCTION

Les mois de septembre et d'octobre se sont envolés. Vous avez accompli tout le travail préparatoire afin que l'esprit de coopération règne dans votre classe. Pour ce faire, vous avez fait vivre à vos élèves leurs premières expériences de coopération en groupes informels et en groupes de base. Vous avez réussi à créer un climat qui favorise l'apprentissage en donnant des modèles de comportement social et en privilégiant deux valeurs inhérentes à la coopération: la confiance et l'ouverture envers les autres. Le mois de novembre permettra à vos élèves de consolider leurs stratégies d'apprentissage et d'accroître leur efficacité comme membres d'un groupe. Comme ils devront dorénavant participer à des activités plus exigeantes et nécessitant une plus grande coopération, vous mettrez ce mois-ci l'accent sur l'entraide.

3.1 Pleins feux sur les mérites de l'entraide

Soulignez leurs comportements positifs

Au mois de novembre, observez les gestes d'entraide de vos élèves; notez-les et, de temps à autre, selon leur âge, lisez vos notes devant la classe. Le renforcement positif constitue la plus grande des motivations!

Pour faire comprendre l'importance de l'entraide, formez des groupes de discussion. Ces groupes serviront à trouver des exemples de situations où les élèves pourraient s'aider, dans leur groupe de base ou dans un contexte. Les valeurs de la coopération sont également réalisables à l'extérieur de la vie scolaire. Selon le niveau de votre classe, vous pouvez utiliser les idées suivantes:

1. Posez la question «À quoi ressemblerait la vie si les gens ne s'entraidaient pas?»
2. Dressez une longue liste de situations où d'autres personnes vous ont aidés.
3. Dressez une longue liste de situations où vous avez aidé d'autres personnes.
4. Dressez une longue liste de situations où vous pourriez aider des élèves de votre groupe et de votre classe.

3.2 Enseigner les habiletés de coopération de base

Souvent, au début, les enseignantes enseignent les habiletés de coopération, et oublient de s'assurer qu'elles sont mises en pratique. C'est là une faiblesse! Dans le feu de l'action, en effet, veiller à ce que les

Rappel : la tâche du groupe se fait de façon ordonnée si la coopération se traduit par des gestes. Vous pouvez croiser les doigts et espérer que les choses se déroulent rondement ou intégrer les habiletés enseignées à la vie de tous les jours.

« Tous les groupes doivent trouver autant d'opérations que possible entre deux nombres pour arriver à la réponse 12 (somme, quotient, différence). Pour trouver au moins six façons différentes d'écrire le chiffre 12, j'aimerais que vous mettiez en pratique une des habiletés de coopération apprise la semaine dernière, soit l'encouragement mutuel. Voici notre affiche du langage verbal et non verbal – qui exprime cette habileté. Pendant que vous travaillerez en groupe, je vais circuler parmi vous et voir comment vous mettez en pratique cette habileté. »

groupes accomplissent leurs tâches de façon ordonnée semble suffisant.

Il peut vous sembler accablant d'avoir à déterminer quelles habiletés vos élèves doivent **vraiment** posséder pour accomplir une tâche, leur enseigner ces habiletés, observer leur application ainsi que donner votre appréciation. Cela peut être en effet accablant. Respectez vos limites, allez-y graduellement, et organisez une courte activité de coopération qui comporte deux objectifs : un objectif de contenu et un objectif de coopération.

Au préalable, posez-vous les questions suivantes :

1. Quelles habiletés mes élèves possèdent-ils vraiment ?
2. Quelle structure ou quel genre de travail de groupe auront-ils à entreprendre pour atteindre l'objectif de contenu ?
3. Quelles habiletés préalables doivent-ils posséder pour ce genre d'interaction en groupe ?

L'habileté privilégiée constituera votre second objectif, en plus de votre objectif de contenu. Ce n'est qu'après avoir défini l'objectif de coopération (habileté cible) que nous nous engagerons dans le cycle d'enseignement composé des quatre volets suivants :

- Détecter le besoin d'acquérir une habileté.
- Comprendre cette habileté.
- Mettre en pratique l'habileté en question.
- Réfléchir à son utilité.

Quelles habiletés choisir ?

Les habiletés interpersonnelles et cognitives suivantes peuvent être présentées comme des exemples d'actions utiles à la tâche.

1er niveau

1. S'en tenir à la tâche.
2. Suivre les consignes.
3. Écouter activement.
4. S'encourager.
5. Participer également.
6. Remercier.
7. Utiliser le prénom.
8. Demander l'aide.
9. Offrir l'aide.

Dans la liste des habiletés de coopération, vous devez choisir la moins complexe, mais néanmoins essentielle, pour que les élèves accomplissent la tâche assignée au groupe. En octobre, vous avez probablement jugé indispensable de sélectionner, comme première habileté, que le groupe s'en tienne à la tâche. À ce stade-ci, vous devriez poursuivre avec des habiletés interpersonnelles simples et ajouter quelques habiletés cognitives élémentaires nécessaires à l'efficacité du travail en groupe. Selon l'âge de vos élèves et les habiletés qu'ils possèdent, durant ce mois-ci, vous pouvez enchaîner avec la *demande d'aide et l'offre d'aide* appartenant à la catégorie des habiletés cognitives.

L'art d'enseigner les habiletés de coopération

Jusqu'ici, vous avez utilisé un graphique en T comme présentation technique à votre classe. En novembre, vous pouvez recourir aux jeux de rôle. Vous pouvez inviter une collègue ou un collègue pour présenter un jeu de rôle (une saynète) de cinq minutes et illustrer une habileté de coopération utile à une activité. Avant de présenter votre jeu de rôle, faites une répétition avec ce collègue et assurez-vous que la tâche illustrée est la même que celle que vos élèves auront à accomplir. Présentez un comportement positif et un comportement négatif, dépourvus d'habiletés enseignées et qui empêche le groupe d'accomplir la tâche. Si vos élèves sont plus âgés, vous pouvez préparer un jeu de rôle en prenant une élève ou un élève comme partenaire ou aider un des groupes à préparer une simulation devant la classe.

Une autre méthode de renforcement des habiletés de coopération consiste à utiliser des structures spécifiques qui favorisent ces interactions. Par exemple, une activité fondée sur «l'entrevue en trois étapes» exigerait une écoute active et déboucherait sur l'éclosion de cette habileté chez les élèves (*voir p. 38*).

3.3 Faire des observations informelles du travail en coopération

Chaque fois que les groupes recourront à la coopération pour accomplir une tâche, votre rôle consistera à circuler parmi eux et à observer leurs comportements, comme vous l'avez fait jusqu'ici. Vous serez à l'affût de toute difficulté des élèves et vous devrez prendre conscience des habiletés de coopération manifestées. Vos observations devront rester informelles, c'est-à-dire que vous devrez donner des exemples de mots et de gestes dénotant des comportements socialement valorisés. À la fin de cette activité, faites part de vos commentaires. Pour ce faire, utilisez vos notes, sans toutefois nommer les élèves ou les groupes.

Évitons les observations et les déclarations vagues telles que «Votre groupe a bien travaillé aujourd'hui», «Vous avez eu certains problèmes» ou encore «Vous devez vous respectez les uns les autres». Ces clichés s'avèrent inutiles. Il est préférable de formuler vos observations en éléments fondamentaux ou *comportements observables* tels que « Rappelez-vous qu'aujourd'hui votre capacité de coopération englobait les idées de tout le monde. J'ai vu quatre élèves jeter un coup d'œil à l'affiche, et chacun a fait une observation » ; « Les membres du groupe n'étaient pas à l'écoute. Il leur arrivait souvent de s'interrompre et de ne pas tenir compte de ce que les autres disaient » ; « J'ai entendu ceci : « Qu'est-ce que cela signifie ? », « Es-tu d'accord ? », « Eh !, Hélène n'a pas encore parlé. »

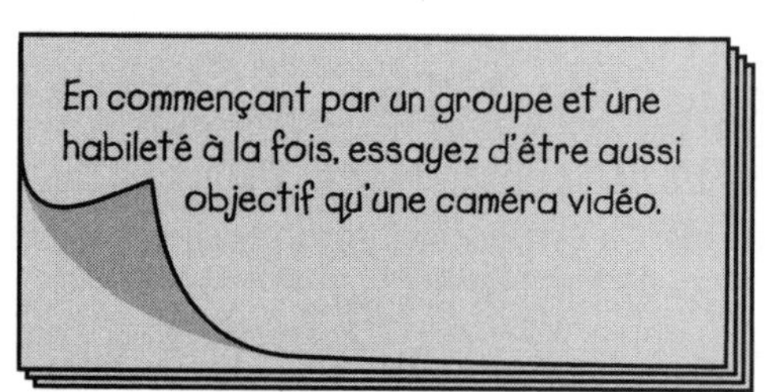

Vous acquerrez davantage de connaissances en privilégiant la pédagogie de la coopération. Les observations que vous effectuerez en classe, pendant que les groupes travaillent en coopération, ont deux buts : vous fournir des données pour l'analyse des apprentissages de vos élèves et pour l'analyse de l'efficacité de votre enseignement. L'habileté à observer et cueillir des données se développe avec la pratique.

3.4 Organiser une réflexion critique après les activités de coopération

On peut apprendre les mathématiques sans penser au aux moyens pour y parvenir. Il n'en va pas de même pour les habiletés de coopération, que l'on acquiert uniquement lorsqu'il y a interaction entre les membres d'un groupe. La réflexion des membres d'un groupe, sur leur façon de travailler ensemble, fait partie intégrante de cet apprentissage. Nous devons d'abord nous interroger sur la valeur de la démarche, puis en analyser le résultat. Nous serons alors en mesure de décider de la quantité de temps et d'énergie à consacrer à la réflexion. Après chaque activité de coopération, il serait judicieux de voir à quel point la coopération réussit aux membres du groupe et à leur travail scolaire, et d'en discuter. Cette étape s'appelle « réflexion critique ».

En outre, nous devons accorder du temps aux élèves pour leur permettre de réfléchir à leur rendement comme membres d'un groupe. De temps à autre, des observateurs de l'extérieur devraient procéder à une appréciation. Il est très important que l'appréciation soit positive plutôt que négative, pour les raisons suivantes (Johnson, Johnson et Holubec, 1997) :

- Une appréciation négative renforce l'appréhension que suscite l'évaluation. Les élèves pourraient, à l'avenir, refuser qu'on les observe ;
- Un commentaire négatif supplante plusieurs commentaires positifs ;
- Il est facile de détruire la confiance, mais difficile de l'acquérir.

À moins que nous ne mettions l'accent sur les habiletés de coopération et les mécanismes du travail en groupe, les groupes ont

« J'aimerais que chacun de vous prenne quelques instants pour réfléchir à ce qu'il a fait pour mettre en pratique l'habileté de coopération d'aujourd'hui. Il peut s'agir de paroles ou de gestes. Rappelez-vous que la communication est parfois très subtile. » « Pensez à votre participation au travail de groupe et accordez-vous trois points pour une très grande participation et un point pour une participation passive. À l'aide de vos doigts, montrez à votre groupe le nombre de vos points et justifiez-en le pourquoi. »

tendance à se consacrer exclusivement à leurs tâches, au point d'ignorer les besoins individuels.

Comme au mois d'octobre, ces activités de réflexion critique peuvent se dérouler de vive voix, sous forme d'introspection, en deux ou trois étapes :

1. Chaque élève évalue sa contribution personnelle au travail de groupe (*voir annexes 6a et 6b**).
2. Chaque élève en parle au groupe.
3. Plusieurs élèves se portant volontaires débattent des questions de réflexion critique fournies par l'enseignante pour faire une déclaration sur l'état de la coopération dans la classe et sur les buts de la prochaine activité (*voir Suggestions de questions pour une réflexion individuelle, p. 45*).

N'oubliez pas de prévoir assez de temps avant que la cloche ne sonne !

Feuilles reproductibles aux annexes 6a et 6b.

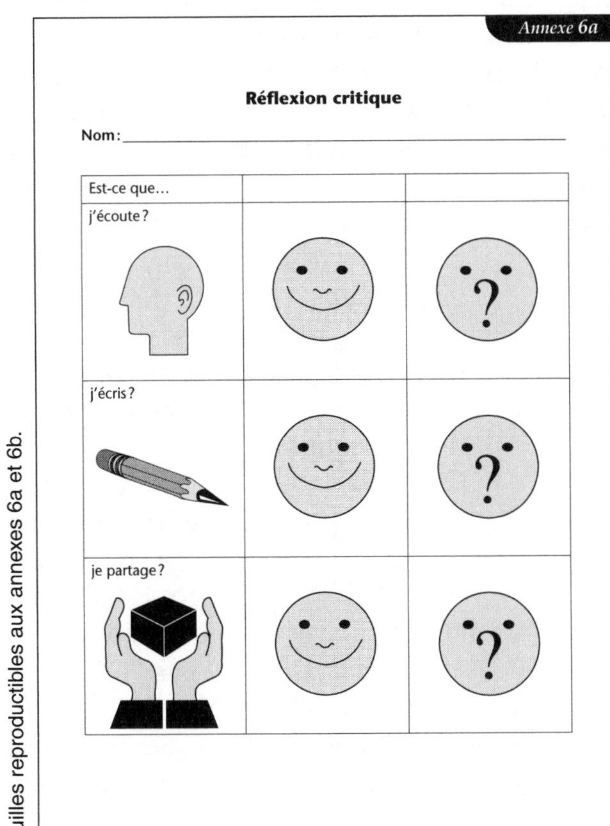

Annexe 6a

Réflexion critique

Nom : ______________________

Est-ce que…		
j'écoute ?		
j'écris ?		
je partage ?		

Annexe 6b

Feuille de réflexion critique

1. J'ai participé activement.
2. J'ai partagé le matériel.
3. J'ai parlé à voix basse.
4. J'ai bien écouté mes coéquipiers.
5. J'ai encouragé mes coéquipiers.

Nom de l'élève : ______________________

* L'annexe 6a est destinée aux élèves plus jeunes tandis que l'annexe 6b peut servir aux élèves qui savent déjà lire et écrire.

3.5 Élargir le cadre des groupes informels

Même si vos élèves font partie de groupes structurés, vous devriez leur donner l'occasion de travailler avec d'autres élèves de la classe lors d'activités de courte durée. Si les pupitres sont disposés en permanence en îlots ou en rangées, vous pouvez néanmoins former des groupes informels de deux, trois ou quatre élèves et organiser des activités coopératives pour les types de tâches suivantes :

- Activation des connaissances antérieures ;
- Compréhension et analyse durant la période d'apprentissage ;
- Révision.

À ce stade, vous devriez pouvoir commencer à récolter les fruits de ce que vous avez semé. Vos élèves ont en effet compris la valeur de la confiance, de l'ouverture envers les autres et de l'entraide. Vous avez renforcé les comportements socialement valorisés, alors que vos élèves ont acquis plusieurs habiletés de coopération de base. Ils sont maintenant prêts à coopérer pour apprendre. Nous sommes tellement occupés à enseigner les connaissances de base nécessaires aux élèves que nous avons rarement le temps de nous poser les questions « Comprennent-ils vraiment ? » « Peuvent-ils utiliser les connaissances acquises dans d'autres contextes ? » La recherche (Gardner, 1996) démontre que même des étudiants d'université éprouvent de la difficulté à utiliser les connaissances acquises dans les institutions scolaires. Pour améliorer la situation actuelle, vous devriez « enseigner à comprendre » et recourir à différentes stratégies, dont l'apprentissage coopératif. Vous devriez aussi préconiser les stratégies suivantes pour améliorer le niveau de compréhension et inciter vos élèves à aller au-delà de l'acquisition de connaissances.

La taxonomie des apprentissages	
Mémorisation et compréhension	Décrire, dire pourquoi, nommer, dresser une liste, trouver…
Application et analyse	Comparer, opposer, utiliser, donner les avantages et les inconvénients, diviser…
Synthèse et évaluation	Formuler, créer, critiquer, ordonner, planifier…

- Prévoyez des occasions de solliciter des niveaux cognitifs plus élevés, allant au-delà de la mémorisation (*voir l'encadré ci-contre*) (Bloom, 1953). Pour y parvenir, utilisez des techniques d'apprentissage coopératif.
- Organisez des activités d'apprentissage qui sollicitent un plus grand nombre de types d'intelligences auxquels font habituellement appel les programmes scolaires – linguistique et mathématique (*voir l'encadré de la page suivante*).
- Posez des questions qui font appel à des niveaux plus élevés dans la taxonomie et permettez à vos élèves de consulter les membres de leur groupe. Ensemble, ils trouveront des réponses, des solutions, etc.

Carte des intelligences multiples		
Symbole / Intelligence	**Caractéristiques**	**Activités / Matériel**
1. Verbale / linguistique	– intelligence des mots et de l'ordre des mots – débat sur des idées, persuasion et divertissement des autres – formulation d'instructions – jeux avec les sons et les mots	livres, cassettes, discours, journaux, dialogues, discussions, débats, histoires, poésie, blagues, mots croisés, mots cachés, recherches, entrevues
2. Logique / mathématique	– intelligence des nombres et de la logique – raisonnement scientifique – établissement de séquences – pensée des relations de cause à effet – formulation d'hypothèses – identification de séquences numériques – induction, déduction – recherche des relations, des catégories	choses à explorer, matériel de manipulation, documents scientifiques, casse-tête, jeux, expériences scientifiques, organigrammes, calculs, ordinateurs, problèmes mathématiques, motifs abstraits, rapports entre les choses
3. Visuelle / spatiale	– intelligence d'images et de dessins – perception aiguë des détails visuels – identification des relations entre les objets dans l'espace – orientation spatiale – formation d'images mentales – imagination féconde – manipulation d'images	bricolage, maquettes, jeu de construction, vidéos, diapositives, labyrinthes, livres illustrés, jeux d'imagination, expositions, photos, images, affiches, illustrations, croquis, peintures, rétro-projecteur, couleurs, formes, lignes, espaces
4. Kinesthésique / corporelle	– intelligence des sensations somatiques ou corporelles – habiletés mimétiques – connexion entre le physique et le mental – maîtrise de mouvements corporels	sports, activités physiques, manipulation des objets, jeux de rôle, expression dramatique, mime, jeux de construction, expériences tactiles, jeu libre, gymnastique, danse
5. Musicale / rythmique	– intelligence de perception, de discrimination et de production des formes musicales – interprétation d'une mélodie – maintien d'un rythme – appréciation de pièces musicales	instruments de musique, auditions de chansons, enregistrements, participation à des groupes de musique, concerts, exercices rythmiques, raps, chants, poèmes, danse, création d'une mélodie ou d'un rythme, structure de la musique

6. Interpersonnelle	– intelligence de compréhension des autres – sensibilité aux humeurs, au tempérament, aux intentions et aux désirs des autres – direction, organisation, négociation – résolution de problèmes – animation du groupe – capacité à fêter – création et maintien d'un climat de synergie – communication verbale et non verbale	amis, jeux et activités de groupe, travail d'équipe, événements communautaires, clubs, rassemblements, dialogues, travail coopératif, collage, murales, sports d'équipe, cartes d'observation, arguments, Internet, graphiques humains, enquête par groupes
7. Intrapersonnelle	– intelligence de nature introspective – solitude, méditation – réflexion spirituelle, contemplation – conscience et expression de sentiments – concentration – métacognition – perception transpersonnelle de soi – raisonnement à un niveau d'abstraction élevé	journaux, résolutions des conflits, réflexion, auto-évaluation, planification, centres d'apprentissage, travail indépendant, recherches, choix d'activités, moments de solitude, questionnaires personnels, activités créatives, poèmes, tranquillité
8. Naturaliste	– intelligence de l'environnement et de la nature – sensible aux sons et aux paysages de l'environnement – perception des changements dans l'environnement – capacité d'observations prolongées	journal de bord, cueillette d'information, sorties éducatives, observations scientifiques

Adapté du document du ministère d'Éducation, Nouvelle-Écosse.

Exemple d'une activité pour un groupe informel

Maternelle à deuxième année

Mathématiques
Thème : Architek

1. Chaque groupe reçoit un ensemble de blocs Architek et une fiche - diagramme.
2. À tour de rôle, les élèves placent les morceaux pour reproduire le dessin.
3. Réflexion critique : est-ce que je posais les blocs seulement quand c'était mon tour ? Est-ce que j'aidais ma partenaire ou mon partenaire en lui disant comment il pouvait placer le bloc ? Si la réponse est oui, les enfants encerclent un visage souriant sur une feuille ; si la réponse est non, ils encerclent un visage triste. Voici la dernière question : Est-ce que tu es d'accord avec les réponses données par ton partenaire ? À tour de rôle, les membres du groupe s'échangent leur réponse. Demander à quelques enfants de présenter leur réponse à la classe.

L'idée de cette activité est de Louise Dumouchel, enseignante.

Voici les commentaires des enfants : « C'est facile. Je vais maintenant choisir cette activité. J'ai toujours pensé que c'était trop difficile pour moi. » « Est-ce qu'on peut toujours faire cette activité en groupe ? »

3.6 Élargir le cadre des groupes de base en organisant des activités coopératives plus longues

Jusqu'à maintenant, vos groupes de base ont rempli deux fonctions fondamentales :

1. Ils se sont soutenus et ont collaboré étroitement aux projets scolaires sur une base quotidienne ;
2. Ils ont participé à des tâches simples de courte durée.

Vous avez organisé des activités en groupes de base pour les mêmes raisons qui ont présidé à la formation des groupes informels. D'ailleurs, l'identification au groupe et la confiance qui s'est établie dans un groupe dont les membres sont étroitement liés devraient commencer à porter fruit. D'un autre côté, vous constaterez que les groupes de base s'avèrent en général plus efficaces que les groupes informels et que, dorénavant, vous devriez recourir davantage aux premiers. Selon l'âge de vos élèves et leurs dispositions pour la coopération, l'activité pourra être plus complexe et donc nécessiter plus de temps : 30 minutes ou plus pour une classe du deuxième cycle de l'élémentaire et jusqu'à 50 minutes pour un groupe du secondaire.

Exemple d'une activité pour un groupe de base

Niveau : élémentaire

Arts plastiques
***Thème :** l'arbre aux feuilles*

1. Chaque groupe de deux reçoit une branche d'arbre, du papier de bricolage aux couleurs de l'automne, des ciseaux et de la colle. Un enfant découpe la forme d'une feuille, et l'autre la colle sur la branche.
2. Après un certain temps, les rôles peuvent changer : celui ou celle qui découpait va coller et vice versa.
3. La coopération entre toute la classe est renforcée par la création d'un arbre composé de toutes les branches. L'enseignante place les branches sur un tronc déjà préparé.

Note: pour des élèves plus jeunes, l'enseignante peut distribuer du papier avec des formes de feuilles déjà tracées ou même découpées.

Exemple d'une activité pour un groupe de base de 2 ou 4

Niveau : élémentaire

Arts plastiques
***Temps:** 30 minutes*
Groupes de 2 ou de 4

***Objectifs :** créer une affiche illustrant une scène de deux ou quatre couleurs primaires, discuter des détails et de la composition, partager l'espace et les matériaux.*

***Matériaux :** une grande feuille de papier de boucherie, deux ou quatre récipients de peinture et un nombre égal de pinceaux.*

Note : les élèves ne doivent pas créer deux ou quatre paysages individuellement, mais décider ce que chacun dessinera.

Démarche

1. Expliquer la tâche et les objectifs, et spécifier l'interdépendance des matériaux et des rôles : une couleur est assignée à chaque enfant. Suggérer des thèmes tels qu'une cour d'école, un parc, une ferme et une cour. Demander aux élèves d'être vigilants pour ne pas gâcher accidentellement le travail d'un autre élève.
2. Les élèves discutent des éléments qui feront partie de la scène et des couleurs qu'ils utiliseront. Ils voient à répartir les couleurs sur l'affiche pour créer une impression agréable.
3. Chaque élève choisit la couleur qu'il utilisera tout au long de cette activité.
4. Les élèves peignent la scène et changent de place au besoin.
5. À mi-chemin, les élèves répondent aux questions suivantes : « Toutes les couleurs sont-elles utilisées dans chacune des parties ? » « Peignez-vous la scène telle que vous l'aviez convenu au début ? » « Comment pouvez-vous embellir votre affiche ? »

6. Les élèves poursuivent l'activité jusqu'à ce que les scènes soient terminées.
7. Après avoir fait le ménage, les groupes visitent la galerie d'art, formulent des commentaires sur les affiches et répondent aux questions suivantes: «Qu'aimez-vous dans cette affiche?» «Pourquoi s'agit-il d'une belle affiche?» «Avez-vous partagé tout l'espace?» «Avez-vous discuté de ce que vous alliez faire tout en peignant?» «Comment votre groupe pourrait-il améliorer son travail la prochaine fois?»

Exemple d'activité en groupe de base

Niveau: secondaire I

Gestion écologique des déchets scolaires
Durée de l'activité: *55 minutes*

Objectifs: *dresser un inventaire des déchets scolaires et proposer des solutions pour éviter le gaspillage.*

Matériel pour 36 élèves: *9 crayons de couleurs rouge, orange, vert et bleu; 9 tables et 9 grands cartons*

Démarche

1. Lorsque l'élève s'assoit avec son groupe, il opte pour un crayon de la couleur de son choix. Il y a 9 tables sur lesquelles ont été disposés des grands cartons.
2. L'élève qui possède le crayon rouge est nommé responsable du bruit (aider le groupe à faire l'activité en chuchotant).
3. Individuellement, les quatre élèves réfléchissent à des idées de gaspillage. Ensuite, ils écrivent leurs idées sur le carton.
4. L'élève qui a le crayon orange (secrétaire) doit tracer une ligne pour diviser le carton en deux. En haut de la colonne de gauche, il écrit le mot GASPILLAGE et numérote le tout de 1 à 10.
5. Le groupe doit trouver 10 formes de gaspillage scolaire. La secrétaire ou le secrétaire prend soin de les noter sur le carton. Cette activité dure 10 minutes.
6. Les groupes proposent une solution à chacun des éléments énumérés. La nouvelle secrétaire ou le nouveau secrétaire (le crayon vert) inscrit les solutions proposées dans la seconde colonne, vis-à-vis du mot GASPILLAGE. Cette activité dure 10 minutes.
7. À mesure que les groupes terminent leur affiche, on place ces derniers devant la classe. L'élève possédant le crayon rouge est responsable du matériel et il vient poser l'affiche devant la classe.
8. Les porte-parole (les crayons bleus) viennent s'installer en avant de la classe. On y place aussi une chaise libre pour ceux qui veulent poser des questions. Seuls les porte-parole et la personne assise sur la chaise ont le droit de parole.

«Activité très amusante! Je suis restée surprise de voir leur enthousiasme: les périodes d'effort sont courtes. Les élèves sont surpris des changements et ne savent pas à quoi s'attendre. Il était important à mes yeux que chacun des élèves ait le maximum de bagage pour poursuivre son projet; ainsi, partager en groupe le fruit du travail de chaque équipe est très enrichissant.»

8. Le porte-parole du premier groupe décrit un type de gaspillage inscrit sur son affiche et propose la solution de son groupe. On reçoit les commentaires et les questions des pairs ou de la personne assise sur la chaise libre.
9. Le porte-parole de la deuxième affiche décrit un gaspillage et propose la solution de son groupe. Il ne peut répéter ce qui a été dit sauf s'il y a un élément nouveau et qu'il est pertinent de le partager. Cette activité dure entre 15 et 20 minutes, selon la longueur des commentaires.
10. La responsable ou le responsable du matériel rapporte les crayons et vérifie la propreté de la table, avant de quitter le laboratoire.

Cette activité a été élaborée et expérimentée par Guylaine Beauchesne, enseignante.

3.7 Récompenser la coopération

Jusqu'ici, nous avons évité de parler d'évaluation, car nous croyons que l'apprentissage coopératif constitue un outil qui favorise l'apprentissage individuel. Les produits créés lors d'activités de coopération ne devraient faire l'objet que d'une évaluation formative. Cependant, si vous cherchez des moyens d'utiliser les récompenses pour promouvoir la responsabilité individuelle et l'interdépendance positive, vous pouvez vous servir des quelques idées suivantes.

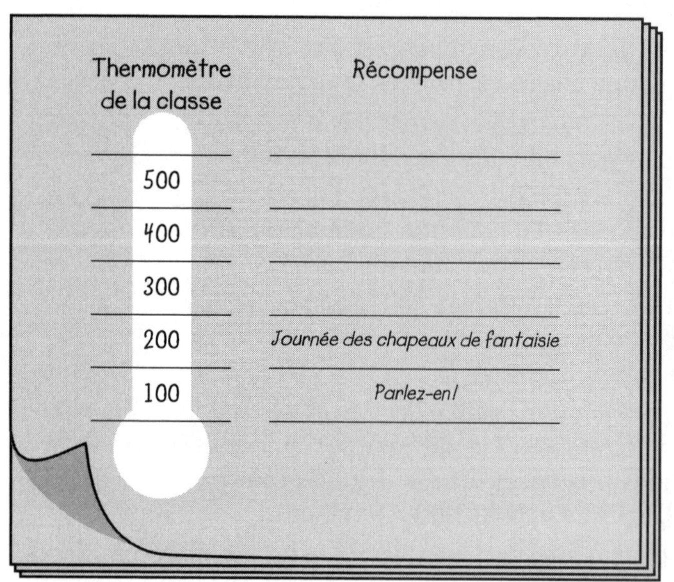

Vous pouvez utiliser des jetons de motivation destinés à récompenser les groupes dont les comportements correspondent aux attentes. Après chaque activité, les groupes comptent leurs jetons et les ajoutent au total de la classe. Pour illustrer les progrès, certains enseignants utilisent un thermomètre affichant les objectifs du groupe. Dans un esprit de coopération, à mesure que les points du groupe s'ajoutent au total de la classe, et que certains niveaux sont atteints, la classe reçoit une récompense déterminée à l'avance, comme assister à un événement spécial.

Des points pour l'amélioration

Vous préféreriez peut-être un autre système de notation pour évaluer les groupes coopératifs. Ce système vous permettrait d'accorder des points à l'amélioration individuelle, lesquels seraient ajoutés aux points du groupe, puis, éventuellement, des récompenses seraient remises à la classe. Les points accordés à l'amélioration individuelle reposent sur la différence entre l'ancienne note et la nouvelle note de l'élève. Voici comment calculer ces points.

La différence entre la dernière et nouvelle note	Points d'amélioration	Commentaire
5 points ou plus sous	0	« Tu peux faire mieux »
4 points sous 4 points au-dessus	1	« À peu près ta moyenne, mais tu peux faire mieux »
5 à 9 points au-dessus	2	« Bon travail, au-dessus de ta moyenne »
10 points ou plus au-dessus ou note parfaite	3	« Tu t'es surpassé »

Note : toujours accorder 3 points pour une note de 100 % et 2 points pour une note variant entre 95 % et 99 %.

Calculons maintenant les points de l'équipe des Tigres invincibles :

Jeux ou devoirs hebdomadaires	Ancienne note En %	Nouvelle note En %	Points d'amélioration
Joël	100	95	2
Tarek	95	75	0
Jeanne	56	75	3
Sonia	30	58	3

Total de l'équipe : 8.

La notation a relevé le statut des deux membres les plus faibles de l'équipe. Il est primordial que les élèves améliorent leur moyenne ou atteignent un minimum de 95 %. Les élèves sont ainsi grandement motivés et leur estime de soi, d'autant plus grande. Vous pouvez calculer la moyenne de la note après chaque épreuve. Ceci deviendra l'ancienne note de l'élève et ne pénalisera pas ceux qui s'améliorent nettement. Jeanne, par exemple, au lieu de surpasser sa dernière note (75 %) devrait surpasser la moyenne entre 56 % et 75 %, donc 61 %.

Le total des points d'amélioration individuelle de chaque groupe peut signifier des récompenses pour toute la classe. Comment utiliser l'appui des autres sans créer de compétition ? Le graphique de l'amélioration de la classe le montre. Aussitôt que tous les groupes atteignent un seuil prédéterminé, toute la classe peut recevoir une récompense.

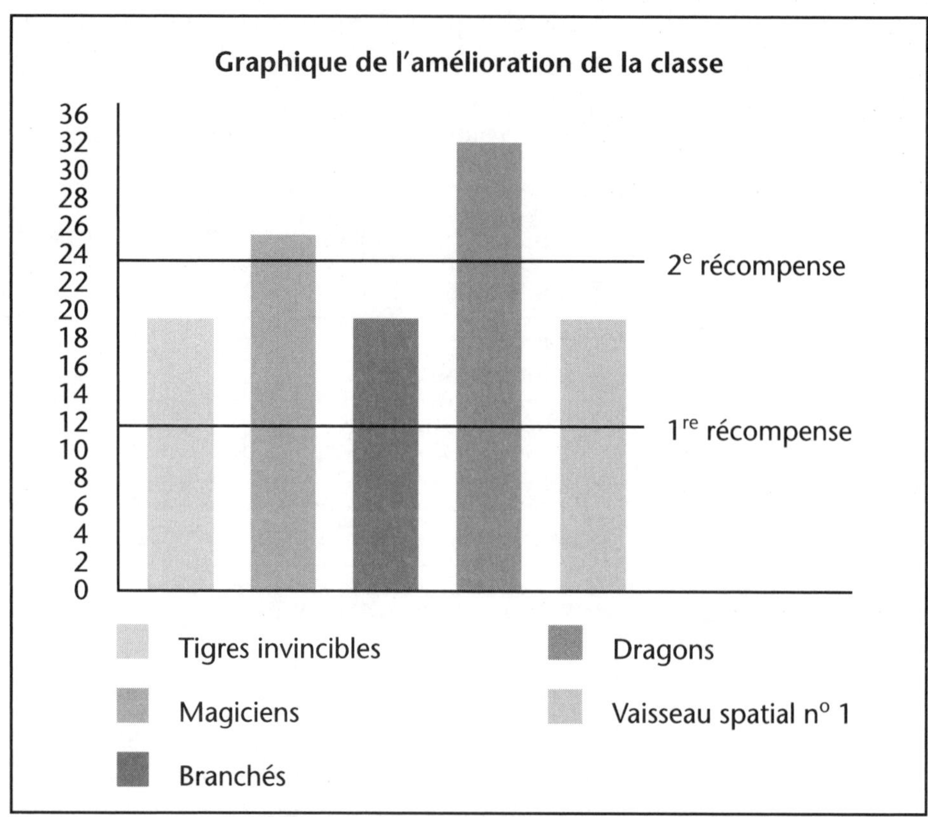

Note: s'il y a un groupe de trois, ses membres calculent la moyenne de leurs points et se voient accorder un boni équivalent afin de compenser pour le membre manquant.

De plus, vous pouvez valoriser les efforts des élèves à l'aide d'un bulletin de nouvelles de la classe. Affichez aussi le nom du meilleur groupe de la semaine ou de l'élève qui s'est le plus amélioré dans le coin de coopération. Vous remettez aux élèves des certificats de réussite quand ils ont l'âge d'apprécier ce genre de récompense.

FÉLICITATIONS!

À: ____________

De: ____________

Pour : ____________

Date: ____________

Exemple de récompenses

Suggestions de récompenses
Privilèges tangibles Signet, crayon, gomme à effacer, jeton, certificat, autocollant
Privilèges spéciaux Journée des chapeaux de fantaisie, journée juste pour rire, journée sens dessus dessous, journée costumée
Reconnaissances individuelles Message de félicitations, sourire • élève de la semaine – applaudissements • paroles d'encouragement – remerciements

Laissez-passer pour la bibliothèque, temps libres	Aider les élèves plus jeunes et d'autres enseignants
Utilisation des installations du terrain de jeux	Choisir l'histoire de la journée
Choisir le jeu de la classe	Choisir la musique
Congé de devoir, présentation audiovisuelle	Choisir un jeu spécial et passer du temps à l'ordinateur
Lunch avec l'enseignante, choix de sa place assise	Occuper la première place dans une file
	Travailler dans le hall, étrenner du nouveau matériel

Avec les élèves plus âgés surtout, vous pouvez aussi négocier une liste de récompenses appropriées.

Vous pouvez être contre les récompenses extrinsèques. Les partisans de ces récompenses sont aussi nombreux que leurs adversaires. Le but de l'éducation est de former des personnes motivées intrinsèquement. Mais nous devons admettre que les étapes sont nombreuses dans le long cheminement conduisant à cet objectif. Nous, les adultes, avons aussi des motivations extrinsèques comme l'encouragement et la reconnaissance, sans parler des promotions et de la rétribution. Vous devez vous servir du système de récompenses de façon critique et vous laisser guider par votre sensibilité et votre expérience professionnelle.

3.8 Augmenter le nombre de rôles et en faire une rotation dans les groupes

En octobre, vous avez présenté les quatre rôles de base à vos élèves, un à la fois, et expliqué les responsabilités inhérentes à chacun, ce qui a eu pour effet de modifier leurs comportements. Grâce à une utilisation accrue des groupes de base, vous pouvez maintenant choisir à même une plus vaste gamme de rôles relatifs à la tâche à accomplir et les présenter un à la fois. Comme auparavant, chaque membre du groupe devrait d'abord avoir la chance de pratiquer ce rôle pendant une tâche coopérative. Pour avoir la situation bien en main, certains enseignants utilisent des listes de rôles pour chaque groupe de base pour connaître l'emploi de chacun et permettre aux membres du groupe de choisir équitablement leur rôle.

Période du: __________ au: __________

	Porte-parole	Responsable du temps	Vérificatrice ou vérificateur	Responsable de la motivation
Taïlida				
Christophe				
Janek				
Tranh				

Comme vous l'avez fait auparavant, vous devriez avoir recours aux rôles uniquement en cas de besoin. Si vous remarquez que même lorsqu'ils ne jouent pas de rôle, les élèves font preuve de coopération, il est probable qu'ils n'aient pas besoin de jouer un rôle, d'autres types d'interdépendance suffisant à cette activité.

La responsable ou le responsable du consensus	
Ce que je fais (non verbal)	**Ce que je dis (verbal)**
• Manifester l'obtention d'un consensus par un signe de la tête • Respect • Sourire	• Avez-vous des questions? • Est-ce que c'est clair? • Avez-vous une opinion différente? • Voulez-vous en discuter plus longuement? • Est-ce que nous sommes tous d'accord? • Pourrons-nous signer la feuille du groupe? • Bravo! Nous avons donc établi un consensus.

La vérificatrice ou le vérificateur	
Ce que je fais (non verbal)	**Ce que je dis (verbal)**
• Attention portée à chacun • Sourcils froncés • Gestes de « questionnement »	• Est-ce que tous ont bien compris? • Veux-tu répéter, s'il te plaît • Veux-tu expliquer un peu plus… • Est-ce que nous avons la même réponse? • Vous êtes satisfaits?

La porte-parole ou le porte-parole	
Ce que je fais (non verbal)	**Ce que je dis (verbal)**
• Rapport fidèle	• Est-ce que j'ai bien compris? • Est-ce bien ce que vous pensez? • Les membres de mon groupe croient que… • Nous avons trouvé la réponse suivante… • Voici le résultat de nos discussions… • Nous sommes d'accord pour dire que…

3.9 Faire succéder les tâches coopératives par les moments de réflexion individuelle

Maintenant que vos élèves aiment faire plus souvent des activités dont la durée est plus longue, vous devez vous assurer qu'elles répondent bien aux besoins et aux modes d'apprentissage de tous. Quelques-uns de vos élèves ont probablement une intelligence introspective comme moyen d'apprentissage prédominant et d'interaction avec la réalité. C'est pourquoi la résolution interactive de problèmes et les discussions devraient toujours être entrecoupées d'une réflexion permettant à chaque élève d'acquérir une discipline de pensée personnelle et d'utiliser d'autres techniques d'apprentissage, comme l'imagerie et la répétition mentale. Ainsi, la structure « Réfléchir, partager, discuter » assure que les élèves se préparent individuellement à contribuer à la tâche du groupe (*voir p. 20*).

« J'aimerais que vous terminiez le plan de travail en groupes. Le plan comporte 8 questions et chaque membre du groupe devrait pouvoir répondre à au moins six d'entre elles. Le rôle des membres de l'équipe est de poser des questions susceptibles d'aider et de guider l'élève qui répond quand, selon vous, sa réponse n'est pas juste. Premièrement: lisez toutes les questions, deuxièmement, sans parler, réfléchissez aux questions dont vous connaissez la réponse.

Au signal, commencez à coopérer pour trouver les bonnes réponses. »

3.10 Utiliser les structures acquises et en ajouter quelques autres

Jusqu'ici, vous avez fait des activités coopératives que vous aviez structurées vous-même ou utilisé des structures déjà existantes pour des tâches cognitives relativement simples. Nous vous suggérons maintenant plusieurs nouvelles structures pour partager de l'information et développer un niveau de pensée plus élevé.

Lorsque nous enseignons, nous nous efforçons de donner à nos élèves des connaissances de base qu'ils doivent mémoriser. Ensuite, nous passons à d'autres activités comme le partage d'opinions où nous montrons des points de vue divergents à nos élèves. Nous essayons enfin de les analyser, de les appliquer et d'en évaluer les concepts.

De leur côté, les enseignants de maternelle posent des questions d'un niveau de pensée plus élevée : « Maintenant que vous avez entendu l'histoire, pensez au personnage qui avait tort et à celui qui avait raison. Que feriez-vous dans une telle situation ? Supposons que vous ignoriez que votre ami mentait, que feriez-vous dans ce cas ? À des niveaux plus élevés, certains enseignants posent des questions plus complexes : « Supposons que vous construisiez une bibliothèque en coin pour votre chambre. Comment appliqueriez-vous un théorème au plan ? Vous joindriez-vous à une telle expédition si vous saviez ce qui est arrivé aux peuples des Amériques ? »

Structure **Partage de l'information**

Partage simultané au tableau

Démarche

1. Les élèves font partie de groupes de trois ou quatre membres. Poser une question sur le sujet qui vient tout juste d'être traité ou sur le projet auquel les groupes travaillent actuellement.
2. Les membres du groupe se consultent pour formuler la réponse.
3. Désigner une ou un élève de chaque groupe pour écrire la réponse du groupe au tableau.
4. Susciter une discussion sur l'exactitude de la réponse ou sur la multitude de réponses possibles.

Structure

Vérité ou mensonge

Démarche

1. Individuellement, les élèves formulent trois déclarations sur la matière étudiée. Deux d'entre elles sont fausses et l'autre est vraie (ou l'inverse). Ils peuvent consulter leurs ressources.
2. À tour de rôle, les élèves présentent leurs déclarations aux membres de leur groupe, qui devinent si elles sont vraies ou fausses. On peut doter cette activité d'un système de points.

Exemple : Gengis Khãn a été le premier à franchir la Grande Muraille de Chine. L'armée de Gengis Khãn comprenait plus de cavaliers que de soldats d'infanterie. Ils ont été incapables de conquérir la Chine à cause de la force de son armée.

Les questions sur les matières pour la structure «le jeu de dé»

Voir l'encadré ci-contre pour obtenir la description du jeu de dé.

Sujets suggérés et servant à poser des questions pour le jeu.

- Les produits laitiers que vous avez consommés hier
- Les couleurs que vous voyez au printemps, en été, à l'automne et en hiver
- Les gestes d'aide que vous avez accomplis ou dont vous avez été l'objet
- Des aliments commençant par la lettre...
- Des emplois
- Les titres et les auteurs de vos livres favoris
- Les formes géométriques qui vous entourent
- Les personnages de l'Antiquité qui ont été les plus ambitieux et les plus humains
- Des lois controversées
- Des découvertes importantes
- Les espèces menacées

Structure

Jeu de dé

Démarche

1. Distribuer à chaque groupe un dé et une feuille comprenant six questions.
2. À l'intérieur de chacun des groupes, un membre est choisi au hasard pour commencer.
3. L'élève qui commence lance le dé. Il répond à la question correspondant au numéro qui se trouve sur la face supérieure du dé. Les autres membres du groupe posent des questions pour amorcer la discussion.
4. Le jeu continue avec la personne à droite de celle qui vient de lancer le dé. Les élèves jouent jusqu'à la fin du temps alloué.

Note: les réponses peuvent être minutées par un des coéquipiers pour assurer une participation égale des membres du groupe.

Structure

Promenade des connaissances

Démarche

1. Les groupes d'élèves préparent une exposition d'affiches traitant d'un sujet particulier.
2. Une fois les affiches terminées, ils les accrochent aux murs de la classe.
3. Les élèves regardent les affiches et recueillent des informations. Pour ce faire, ils prennent des notes dans leur cahier et commentent le travail en inscrivant leurs notes sur une feuille prévue à cet effet, attachée au bas de l'affiche.
4. Les groupes se réunissent devant leur affiche pour y ajouter de l'information, apporter des corrections, lire simplement les notes et discuter des commentaires.

Structure

Transmission des problèmes

Démarche

1. Former les groupes de base ou les groupes de quatre.
2. Individuellement, les élèves posent une question sur la révision ou un problème concernant le sujet à l'étude. Ils écrivent leur problème au recto d'une fiche, une solution ou une réponse possible au verso de la même fiche.
3. Les membres du groupe demandent à tous leurs coéquipiers de trouver la solution. Si les solutions sont bonnes, ils peuvent donner les cartes à un autre groupe. Si les solutions sont différentes de celles qui sont suggérées, les élèves vous demandent d'intervenir.
4. Les groupes échangent leur carte de problèmes et vérifient leurs réponses avec celles qui sont inscrites au verso des fiches.
5. Si leurs solutions sont différentes, ils peuvent les vérifier auprès de vous et ajouter leurs solutions au verso de la fiche.
6. Les élèves échangent les cartes jusqu'à ce que le temps soit écoulé ou jusqu'à ce qu'ils aient tous résolu les problèmes.

Moments de réflexion

Novembre **3e mois**

Ai-je eu ou pris le temps... ✔

3.1 De mettre pleins feux sur les mérites de l'entraide ❑
3.2 D'enseigner les habiletés de coopération de base ❑
Quelles habiletés choisir ? ❑
L'art d'enseigner les habiletés de coopération ❑
3.3 De faire des observations informelles du travail en coopération ❑
3.4 D'organiser une réflexion critique après les activités de coopération ❑
3.5 D'élargir le cadre des groupes informels ❑
3.6 D'élargir le cadre des groupes de base en organisant des activités coopératives plus longues ❑
3.7 De récompenser la coopération ❑
Des points pour l'amélioration ❑
3.8 D'augmenter le nombre de rôles et en faire une rotation dans les groupes ❑
3.9 De faire succéder les tâches coopératives par les moments de réflexion individuelle ❑
3.10 D'utiliser les structures acquises et en ajouter quelques autres ❑
Partage simultané au tableau ❑
Vérité ou mensonge ❑
Jeu de dé ❑
Promenade des connaissances ❑
Transmission des problèmes ❑

Mes notes personnelles

____

____

____

____

____

____

Décembre

4e mois

Confiance

Ouverture envers les autres

Entraide

✔ Égalité

Droit à l'erreur

Solidarité

Engagement

Plaisir

Synergie

INTRODUCTION

Décembre est court et vous aurez beaucoup de pain sur la planche: soit que vous consacrerez beaucoup d'efforts et de temps à la préparation des festivités de l'école, soit que vous serez absorbé par les révisions et la préparation des élèves aux examens. C'est pourquoi ce mois-ci nous ne suggérons qu'un seul élément nouveau soit remédier aux inégalités existantes dans la classe, car vous récapitulerez probablement une foule de choses vues en novembre. Passez de joyeuses fêtes!

4.1 Réfléchir à la hiérarchie des statuts et aux inégalités dans la classe

Même si, au cours des trois premiers mois, vos élèves ont fait l'expérience de la confiance, de l'ouverture envers les autres et de l'entraide, une hiérarchie des statuts s'est néanmoins maintenue dans votre classe, comme dans la plupart des classes. Qu'est-ce qu'une hiérarchie des statuts? À ce sujet, Elizabeth Cohen écrit[1]: «Les petits groupes de travail ont une tendance à développer des hiérarchies dans lesquelles certains membres sont plus influents que d'autres. C'est le phénomène de l'attribution d'un statut ou rang social, reconnu par les autres. [...] Les membres du groupe qui ont un rang élevé sont considérés comme plus compétents et on croit qu'ils font plus pour guider et diriger le groupe. [...] La même chose se produit chez les élèves qui n'ont pas été bien préparés à l'apprentissage coopératif. Les élèves peuvent se traiter les uns les autres avec civilité tout en participant d'une manière inégale et en ajustant leur comportement selon le rang de chacun dans l'échelle des statuts.»

Cohen explique aussi que le statut de l'élève est déterminé autant par des facteurs extérieurs à la classe, comme la popularité ou les prouesses sportives, que par les compétences scolaires. La facilité en lecture en plus d'être un facteur important de réussite scolaire est bien vue des pairs. En effet, les élèves qui lisent couramment sont perçus comme ayant un statut élevé, alors que ceux qui ont de la difficulté à lire ont un statut inférieur dans le groupe.

Les conséquences de cette perception sur les membres du groupe sont nombreuses. En voici quelques-unes:

- On appréhende un faible rendement des membres du groupe dont le statut est peu élevé;

1. Cohen, Elizabeth. *Le travail de groupe: stratégies d'enseignement pour la classe hétérogène*, Montréal, Les Éditions de la Chenelière, 1997, 217 p.

Posez-vous les questions suivantes : Quel est le statut que j'attribue à chacun de mes élèves ? Combien sont conscients du statut qu'ils ont à mes yeux ? Combien de mes élèves font, à leur propre sujet, des « prophéties auto-actualisantes » ?

Est-ce que je souscris au principe selon lequel l'apprentissage se fait mieux dans des conditions où les facteurs d'insécurité sont faibles et le défi est grand ?

- En réaction à ces attentes, ces élèves sont tranquilles, donc parlent peu et participent moins aux tâches du groupe ;
- Ces élèves sont aussi l'objet d'une exclusion subtile mais tangible ;
- Parallèlement, les membres dont le statut est élevé occupent toute l'avant-scène ; ils parlent beaucoup, s'occupent du matériel et dirigent les discussions à l'intérieur du groupe.

4.2 Pleins feux sur les vertus de l'égalité

Si un élève s'aperçoit que son enseignante a peu d'attentes à son endroit, il s'en accommodera. Par conséquent, il n'exploitera pas son plein potentiel.

La participation des élèves variera. Certains prendront naturellement l'initiative de l'activité, alors que d'autres auront besoin de plus de temps pour réfléchir et formuler leurs idées. Rappelez-vous que personne ne peut faire tout le travail mais chacun peut en faire une partie !

On appelle « prophétie auto-actualisante » le statut qui exerce une influence sur le rendement. Maintenant que nous avons cerné le problème, cherchons sa solution. Comment structurer le travail dans un groupe coopératif pour que tous les élèves soient mobilisés, pour que la domination de certains diminue et que la participation de certains autres soit plus grande ?

Structurer l'interdépendance positive dans les tâches du groupe est certes une bonne idée, mais il ne faudrait pas s'y limiter. Enseigner aux élèves à apprécier la diversité des perceptions, des opinions et des contributions de chacun serait une solution. Autrement dit, nous devons promouvoir les vertus de l'égalité.

À ce sujet, Cohen[2] suggère de faire un exercice de discussion de groupe fondé sur le modèle d'Epstein[3], appelé « fusée à quatre étapes ». Selon l'âge de vos élèves, vous devrez effectuer certaines modifications pour franchir les quatre étapes menant à une discussion enrichissante.

2. Cohen, Elizabeth. *op. cit.*
3. Epstein, C. *Affective subjects in the classroom : Exploring race, sex and drugs*, Intext Educational Publications, Scranton, PA, 1972.

Communication efficace

Objectif: *explorer qu'est-ce une communication efficace?*
Durée: *de 20 à 25 minutes.*
Regroupement: *groupe de 3 à 4 élèves.*

Présenter un sujet pour la discussion de groupe. Les élèves doivent discuter pendant trois à cinq minutes. Après, demander aux groupes de nommer quelques éléments d'une communication efficace.

Première étape: la **concision.** Durée: de 3 à 5 minutes.

Présenter un nouveau sujet. Nommer une responsable ou un responsable du temps qui permettra à chaque élève du groupe de parler seulement 15 secondes à la fois. À la fin de l'étape, ce responsable agit également comme observatrice ou observateur, fait part de ses commentaires au groupe sur la façon dont les membres ont maîtrisé ou non l'habileté de concision.

Deuxième étape: l'**écoute attentive.** Durée: de 3 à 5 minutes.

Présenter un nouveau sujet. Nommer un autre responsable qui permettra des interventions de 15 secondes; pour promouvoir l'écoute attentive, chaque élève qui a la parole doit attendre 3 secondes avant de parler. L'observatrice ou l'observateur fait part de ses commentaires au groupe sur la façon dont les membres ont maîtrisé ou non les habiletés de concision et d'écoute attentive.

Troisième étape: la **compréhension.** Durée: de 3 à 5 minutes.

Présenter un nouveau sujet et choisir une nouvelle ou un nouveau responsable du temps.

Chaque membre du groupe parle au maximum 15 secondes; il doit attendre trois secondes avant de parler à son tour et de reformuler l'idée au dernier membre. La reformulation ne doit pas être mécanique; elle doit démontrer que l'élève a compris l'idée de la participante ou du participant précédent.

L'observatrice ou l'observateur fait part de ses commentaires au groupe sur la façon dont les membres ont maîtrisé ou non les habiletés de concision, d'écoute attentive et de compréhension.

Quatrième étape: la **participation.** Durée: de 3 à 5 minutes.

Présenter un nouveau sujet et choisir un nouveau responsable du temps. Chaque membre du groupe reçoit cinq jetons de participation (jetons de bingo, bandes de papier, trombones ou jetons fabriqués pour l'occasion). Possibilité d'utiliser des jetons de différentes couleurs pour chaque membre.

Chaque membre parle au maximum 15 secondes; il doit attendre trois secondes avant de parler à son tour, de reformuler l'idée au dernier membre et, enfin, de déposer un jeton au milieu de la table. Pour qu'un membre puisse prendre la parole une seconde fois, tous les autres membres du groupe doivent avoir auparavant utilisé leurs jetons.

L'observatrice ou l'observateur fait part de ses commentaires au groupe sur la façon dont les membres ont maîtrisé ou non les habiletés de concision, d'écoute active, de compréhension et d'égalité dans la participation.

Adaption libre de l'activité Fusée à quatre étapes.

Peut-être cette activité vous apparaît artificielle ! Vous n'avez pas tort, car chaque fois que nous faisons cette activité, les élèves la trouvent très contraignante, voire frustrante. Toutefois, nous devons nous rappeler que son but n'est pas de montrer aux élèves à parler au maximum 15 secondes, mais de faire participer **tous** les membres du groupe. Les élèves qui, d'habitude, parlent peu, mais qui sont néanmoins tout aussi réfléchis, auront moins souvent la chance de participer à l'activité si certains autres membres du groupe mènent les discussions dans des directions qu'ils ne désirent pas. Pour éviter cette situation, les autres membres doivent donner du temps à ces pairs pour réfléchir et verbaliser leurs pensées, faire preuve d'une écoute attentive et – comprendre ce qu'ils formulent. Cette prise de conscience mènera à des discussions plus profondes. Après avoir fait l'activité de communication efficace vous pouvez structurer une discussion de groupe en utilisant seulement les jetons de participation de la « Fusée à quatre étapes ». Les trois premières étapes de l'activité servent à la prise de conscience des éléments d'une communication efficace tandis que la quatrième étape est un procédé utile pour les discussions de groupe. En effet, celle-ci vous permet de vous assurer que tous les élèves s'expriment également sur le sujet.

Bien que l'égalité des statuts a pour effet une participation accrue des élèves moins actifs, il ne faut pas tenir pour acquis que la participation équilibrée équivaut à l'égalité des statuts.

Soulignez leurs comportements positifs

Tout au cours du mois, observez si vos élèves participent aux activités de manière égale. Prenez en note comment ils s'y prennent. Périodiquement, selon l'âge de vos élèves, demandez-leur de vous donner des exemples de comportements qui favorisent une participation équitable et de les faire connaître aux autres membres de la classe. Si vous le désirez, lisez vos propres notes à vos élèves.

Moments de réflexion

Décembre **4e mois**

Ai-je eu ou ai-je pris le temps... ✔

4.1 De réfléchir à la hiérarchie des statuts et aux inégalités dans la classe ❑
4.2 De mettre pleins feux sur les vertus de l'égalité ❑
Communication efficace ❑

Mes notes personnelles

Janvier

5e mois

Confiance

Ouverture envers les autres

Entraide

Égalité

 Droit à l'erreur

Solidarité

Engagement

Plaisir

Synergie

INTRODUCTION

Bonne et heureuse année et félicitations ! À cette étape de la mise en œuvre de la pédagogie de la coopération, vous constaterez à quel point cette forme d'enseignement est enrichissante et précieuse. En effet, vous avez formé des groupes de base, créé un esprit de classe qui respecte les valeurs de la coopération et invité vos élèves à participer à des activités coopératives qui favorisent leur développement social et cognitif. Ce mois-ci, nous vous suggérons d'utiliser des structures plus complexes et d'organiser des activités plus exigeantes sur le plan cognitif afin de motiver vos élèves non seulement à poursuivre leur apprentissage de la coopération, mais aussi à se concentrer sur celle-ci pour apprendre. Votre rôle d'observatrice sera ainsi plus exigeant ; vous utiliserez différents outils d'observation et ferez connaître vos impressions sur le processus coopératif à la classe et à des groupes précis.

5.1 Pleins feux sur le droit à l'erreur

Soulignez leurs comportements positifs

Tout au cours du mois de janvier, observez les gestes d'indulgence de vos élèves à l'égard des erreurs des autres ; prenez-les en note et, de temps à autre, selon l'âge de vos élèves, faites-leur part de vos notes.

Prêts pour un nouveau départ après un long congé, vos élèves participeront à de nouvelles interactions coopératives. Ces interactions auront un objectif très précis quant à l'acquisition de connaissances. Les élèves de votre classe ne sont pas tous du même niveau. Malgré leurs différences, vous devez les persuader de l'importance de faire leur travail du mieux qu'ils peuvent. Cependant, ce sera probablement très différent avec les membres de leur groupe : en effet, ces derniers pourront se sentir menacés par le faible niveau de compétence de certains membres. De plus, comme dans les activités coopératives, même si les élèves habituellement tranquilles sont aussi mobilisés, les autres sont conscients de ce qu'ils connaissent ou de ce qu'ils ignorent. C'est pourquoi le droit à l'erreur doit être une valeur omniprésente dans une classe coopérative.

Pour comprendre l'importance de cette valeur, organisez une discussion et demandez aux groupes de donner des exemples de situations où un membre s'est abstenu de les critiquer d'avoir commis une erreur, et de quelques situations courantes où ils pourraient faire preuve de tolérance à l'égard des erreurs des autres. Selon le niveau de votre classe, posez quelques-unes des questions suivantes:

- Avez-vous été la cible de trop de critiques? Comment vous sentiez-vous à ce moment-là?
- A-t-on fait preuve de compréhension à votre égard lorsque vous avez commis des erreurs?
- Avez-vous été trop sévères dans vos critiques? Comment vous sentiez-vous alors?
- Avez-vous été indulgents à l'égard des erreurs des autres? Comment vous sentiez-vous à ce moment-là?

5.2 Observer rigoureusement les habiletés de coopération à l'aide des grilles d'observation

Avant de préparer une leçon destinée à la coopération, vous devez mettre au point ou encore choisir un outil adéquat qui aidera l'observatrice ou l'observateur à noter les interactions des membres du groupe. Ce chapitre contient plusieurs exemples de grilles d'observation et de formulaires que vous pourrez utiliser à cette fin. Dans les annexes, vous trouverez des formulaires que vous pourrez photocopier.

Cependant, avant de commencer à observer vos élèves, posez-vous les questions suivantes.

- Vais-je consacrer autant de temps à chacun des groupes?
- Vais-je observer uniquement les groupes qui ont du mal à fonctionner?
- Vais-je observer uniquement certains groupes (timides, sous-performants, fauteurs de troubles)?
- Vais-je noter le nombre d'interactions ou écrire des observations anecdotiques?

Observer les interactions des élèves et faire part de vos commentaires à vos élèves sont des tâches complexes qui doivent être bien assimilées. Vous devez d'abord vous concentrer sur des comportements spécifiques, de préférence sur une ou deux habiletés coopératives, pas plus. Si l'observatrice ou l'observateur est témoin d'interactions de plus d'un groupe d'élèves, les **types** d'interactions doivent être limités. Si vous observez un seul groupe, vous pourrez noter plusieurs habiletés coopératives, mais cette tâche exigera quand même une grande concentration de votre part. Vous devez être consciente que les groupes passent par des cycles d'activités et que l'intensité des interactions ne peut objectivement être ni mesurée ni comparée. Le nombre de fois où les Amis de Pythagore se sont félicités n'est pas important, comparativement au nombre de fois où les Disciples d'Archimède ont fait de même. Observez plutôt la participation à l'intérieur du groupe. Vous devez consacrer autant de

Enseignez une habileté, choisissez un outil d'observation, organisez des pratiques des activités, observez et notez l'interaction au sein des groupes. Analysez les informations recueillies et réfléchissez à leur signification. Faites part de vos commentaires et accordez du temps à vos élèves pour réfléchir à vos observations.

temps à chacun des groupes; observez plus d'un groupe, mais soyez conscient que chacun d'eux peut traverser des périodes plus ou moins actives.

Lors des premières leçons d'apprentissage coopératif, vous serez probablement la seule observatrice. En faisant vos premières observations formelles, vous ne devriez pas tenter de compter tous les types de comportements: relevez plutôt ceux qui sont positifs, soulignez-les lorsqu'ils se manifestent et discutez-en lorsqu'ils font défaut. Vous pouvez aussi noter sur la grille d'observation les échanges les plus enrichissants entre élèves. Pendant que vos groupes sont à l'œuvre, circulez dans la classe et recueillez de l'information sur le fonctionnement d'un groupe afin de mettre à profit la technique de l'observation. Pour consigner l'information sur une grille d'observation, cochez chaque fois le comportement observé dans le groupe.

Étapes préalables aux observations

1. Préparer des listes des habiletés de coopération à mettre en pratique à long terme pour que tous les élèves s'en servent de façon efficace.
2. Choisir une ou deux habiletés à observer dans la leçon et les rappeler aux élèves. Si on vient de présenter une nouvelle habileté à mettre en pratique, on voudra peut-être n'observer que celle-ci.
3. Planifier l'observation: Quel format employer? Quel groupe observer?

   Voici quelques directives à suivre pendant les observations.

a) Cocher la case appropriée chaque fois qu'un élève se sert d'une habileté de coopération.
b) Noter les messages non verbaux tels qu'un sourire, un signe de la tête, une indication du doigt, un regard, etc.
c) Ne pas tenter de tout noter, mais plutôt d'observer aussi rigoureusement et rapidement que possible.
d) Noter des observations au verso de la grille qui n'entrent pas dans les catégories établies, mais qui devraient être partagées avec le groupe.

Note: conserver les grilles d'observation afin d'évaluer le développement du groupe ou des élèves. Afin de gagner du temps, on peut utiliser seulement une grille d'observation par semaine et se servir d'une encre de couleur différente chaque jour: lundi, rouge; mardi, bleu; mercredi, vert, etc. Ainsi, en un coup d'œil, il sera alors possible d'évaluer les progrès hebdomadaires. Une autre façon serait de transcrire sur des fiches l'information chaque jour ou chaque semaine.

Exemple d'une grille d'observation du groupe
(utilisez l'annexe 7)

Habileté \ Nom	Jasmin	Adam	Marguerite	Stas
1. Donne des idées	IIII IIII IIII	II	IIII	IIII I
2. Pose des questions	IIII IIII IIII		II	I
3. Félicite les autres	I	II	IIII	II
4. Autres habiletés *Encourage les autres* *Fait preuve d'humour*		✓ (Encourage les autres)	✓ (Fait preuve d'humour)	

Commentaires de l'enseignante : ______________________________

____

____

Exemple d'une grille d'observation à long terme
(utilisez l'annexe 8)

Nom du groupe : Spartiates

Date	Donne des idées	Demande de l'aide	Reconnaît les stratégies d'apprentissage	Résume
3 février				
4 février				
6 février				
8 février				
11 février				

Commentaires de l'enseignante : ______________________________

____

____

Exemple d'une grille d'observation destinée à plusieurs groupes (utilisez l'annexe 9)

Groupe	Encourage la participation	Vérifie la compréhension	Commentaire
1. Vikings victorieux	IIIII IIIII IIIII IIIII Fantastique, plus vite, prêt ?	IIIII IIIII	Rient souvent, mais travaillent
2. Enfants des pyramides	IIIII IIIII IIIII IIIII IIIII C'est ton tour, Sue	IIIII III	Remarques hors propos
3. Redoutables Romains	IIIII « D'accord » quatre fois	IIIII I	

Il est important d'évaluer le comportement au moment où l'interaction a lieu au sein du groupe. Dans l'exemple ci-dessus, les Redoutables Romains n'ont peut-être pas atteint des sommets favorisant la participation, mais tous ses membres ont participé à l'activité.

Lors de la dernière étape de l'observation, faites part de vos commentaires aux groupes.

Il est important de consacrer quelques minutes à la grille d'observation et de décider de quelle façon vous présenterez les résultats de vos observations aux groupes. Vous pourriez alors vouloir tenir compte de la fréquence en vous rappelant que **vous ne devez jamais comparer les groupes uns aux autres.** Vous devez garder intacte leur confiance !

Vous voudrez parfois faire des observations moins structurées en évoquant des événements précis où vos élèves ont fait montre de coopération. Ces périodes d'écoute imprévues permettent des observations distinctes et assez brèves pour être notées rapidement. Elles illustrent un aspect important du comportement d'un ou de plusieurs élèves et peuvent éclairer la mise en pratique de l'apprentissage coopératif.

5.3 Utiliser des groupes associés pendant de brèves périodes

Les groupes associés visent à donner à leurs membres la chance de s'aider, donc de se consulter. Ces groupes sont formés lorsque deux groupes de base ou deux groupes informels échangent le fruit de leur travail pendant une réunion plénière.

Les réunions des groupes associés sont généralement brèves ; elles constituent des sous-tâches dans le cadre d'une activité plus vaste. Ces réunions peuvent durer de 10 à 30 minutes, selon leur objectif et l'âge des apprenants.

Vous pouvez faire ces regroupements au hasard ou suivant la proximité des groupes afin de gagner du temps. Les groupes associés sont utiles à toutes les étapes de l'apprentissage, car ils peuvent se consulter lors de la planification initiale pour définir un problème, élaborer les questions à l'étude, discuter des marches à suivre pour effectuer un travail, ou s'entendre sur la présentation orale de leur projet. Ces groupes peuvent se réunir au cours de l'activité pour comparer leur travail, partager leurs connaissances ou élaborer une base de données collective. Les groupes associés constituent aussi un forum pour présenter les travaux des groupes, évitant ainsi à la classe une fastidieuse série d'exposés.

5.4 Utiliser facultativement la méthode de travail d'équipe et d'examen individuel (MTÉEI)

La *MTÉEI* est un modèle d'apprentissage coopératif que quelques enseignants du second cycle du primaire et du secondaire utilisent pour renforcer ou réviser certains concepts. Ce modèle permet d'adapter le contenu de votre matière d'enseignement pour motiver davantage les élèves à assimiler les concepts présentés. Structurer des groupes et planifier des activités fondées sur un système de récompense fait participer davantage l'élève dans un contexte d'apprentissage qui, autrement, ne serait pas interactif.

La *MTÉEI* propose un cours magistral sur un sujet prévu au programme. En groupe de base hétérogène, les élèves étudient la matière en vue de se préparer à un examen écrit, qu'ils devront réussir dans le but de procurer à leur groupe le maximum de points.

La *MTÉEI* comporte cinq étapes :

1. Communiquer l'information aux élèves, habituellement dans le cadre d'un cours magistral ;
2. Distribuer une feuille d'étude, sous forme de questions et réponses, semblable à l'examen que les élèves devront faire. Ils étudient le sujet deux par deux, puis avec les membres de leur groupe de base. Ils doivent s'assurer que tous comprennent bien la matière et, au besoin, ils se donnent des explications ;
3. Les élèves répondent individuellement aux questions de l'examen ;
4. Au préalable, chaque élève se voit attribuer une note de base qu'il doit dépasser (*voir le tableau ci-après*), puis une note individuelle d'amélioration ;
5. Les membres de chaque groupe se félicitent.

Points d'amélioration

Résultats de l'examen	**Points d'amélioration**
Plus de 10 points au-dessous de la note de base	0
Entre 10 points et 1 point au-dessous	10
Entre la note de base et 10 points au-dessus	20
Plus de 10 points au-dessus	30

Total des points ÷ nombre de membres dans le groupe = note d'amélioration de l'équipe

Critères des récompenses

15 = bon groupe
20 = excellent groupe
25 = groupe exceptionnel

Le modèle MTÉEI

1. Former des groupes de base selon les habiletés et le rendement des élèves.
2. Fournir le matériel nécessaire: feuille de travail, feuille de réponses et un examen.
3. Suivre les étapes de la MTÉEI
   - Cours magistral, 1 ou 2 périodes
   - Étude en groupe, 1 ou 2 périodes
   - Examen, 1 période
   - Évaluation du groupe
4. Animer une réflexion critique.
5. Donner un examen individuel servant à vérifier si les objectifs ont été atteints.
6. Calculer les points d'amélioration.
7. Féliciter les élèves.

Note: évaluer la composition des groupes aussi souvent qu'il est nécessaire afin d'assurer l'hétérogénéité des groupes d'apprentissage. Il est important que les élèves travaillent en groupe de base avant d'utiliser la MTÉEI.

5.5 Privilégier la réflexion critique après les activités de coopération

Vous avez fait des observations systématiques sur vos groupes pour favoriser l'acquisition d'habiletés coopératives. Vous leur avez également fait part de quelques commentaires sur les comportements à privilégier.

À ce stade, il est maintenant temps de transférer plus de responsabilités aux élèves et aux groupes. Amenez vos élèves à un niveau supérieur d'introspection et donnez-leur les outils nécessaires pour y réfléchir et discuter de leur efficacité.

Voici quelques méthodes que certains enseignants ont utilisées et appréciées.

1. «Le coup de fouet». Chaque membre a 30 secondes pour se prononcer sur le fonctionnement du groupe, et personne d'autre n'a le droit d'intervenir. Cette méthode permet à chacun de se prononcer rapidement.
2. Chaque membre évoque ce qu'il a fait ce jour-là pour améliorer le fonctionnement du groupe. Il décrit ensuite le comportement du membre à sa droite ou à sa gauche qui, ce même jour, a aidé le groupe.
3. Après la séance, chaque membre remplit une feuille de réflexion critique sur sa participation dans le groupe (*voir l'annexe 5*). Ensuite, le groupe revoit ensemble les bons comportements et ceux à améliorer.
4. Chaque membre répond à une série de questions portant sur le fonctionnement du groupe et formule des commentaires sur l'efficacité du groupe. Ils comparent ensuite leurs réponses et élaborent un plan d'action pour la semaine suivante (*voir l'annexe 10*).
5. Les membres du groupe peuvent remplir un formulaire ensemble ou écrire chacun un paragraphe décrivant les habiletés dont il se sert bien et celles à améliorer. Les membres peuvent signifier leur accord en signant le formulaire. Un exemplaire du formulaire de réflexion critique en groupe est inclus en annexe (*voir l'annexe 11*).
6. Insérer à la fin de la feuille de travail une question touchant la réflexion critique du groupe ou donner cette question en devoir. Les élèves constateront alors que la réflexion sur le fonctionnement du groupe fait partie intégrante de leur apprentissage.
7. Chaque membre souligne par écrit une habileté de coopération qu'a mise en pratique l'un des membres de son groupe. Pour ce faire, il complète une des phrases suivantes:

   J'ai apprécié quand tu…
   J'ai aimé quand tu…
   J'ai admiré ta façon de…
   J'ai trouvé ça bon quand tu…

   Pour établir une communication efficace, il est important d'utiliser des messages clairs tout en se servant du «je» en début de phrase. Cette activité peut aussi se faire oralement. Dans ce cas, l'élève doit regarder la personne qu'il félicite, l'appeler par son nom et lui lire ses commentaires. Le membre qui reçoit le commentaire positif regarde l'élève qui le lui lit; il peut le remercier ou ne rien dire. La rétroaction positive doit être directe et claire, et ne doit être ni minimisée ni refusée.

8. Vous pouvez procéder à une réflexion critique avec toute la classe de la manière suivante :
   a) Poser une question de réflexion critique telle que « Quelles démarches entreprises de la part des membres ont été très efficaces ? »
   b) Chaque groupe discute de la question pendant une minute ou deux.
   c) Chaque groupe donne sa réponse.
   d) Refaire ces étapes en posant une question différente. Il est fort possible que vous vouliez vous en tenir à trois questions.

5.6 Réfléchir sur le développement des habiletés de coopération à l'aide du groupe représentatif

Pour souligner l'importance des habiletés de coopération acquises, révisez avec vos élèves toutes celles que vous avez mises en pratique depuis le début de l'année. Vous pouvez utiliser des groupes représentatifs pour faciliter la discussion et enrichir l'exposé. Cette discussion permettra de vérifier quelles sont les habiletés que les élèves perçoivent comme vraiment acquises et transférées et lesquelles ne le sont pas. Ainsi, vos élèves seront plus responsables et efficaces lors de la prochaine interaction coopérative.

Le groupe représentatif est représenté par un membre de chacun des groupes. Vous pouvez nommer ces représentants ou les groupes peuvent les choisir eux-mêmes. Vous animerez ou présiderez souvent les séances, mais un élève pourrait tout aussi bien jouer ce rôle.

Le groupe représentatif peut se réunir en tant que comité directeur. Dans ce cas, les membres du groupe doivent rendre compte à leur groupe respectif des travaux ou des décisions du comité directeur. La variante suivante est possible : le groupe représentatif forme une table ronde et l'auditoire, que forme le reste de la classe, s'assied en demi-cercle autour de lui.

La table ronde contient une place vide. Tout membre de la classe peut contribuer à la discussion en l'occupant, mais il doit la quitter dès qu'il aura fait part de ses commentaires. Au début, cette place vide n'est pas souvent occupée. Cependant, à mesure que les élèves se sentent de plus en plus à l'aise en groupe, cette place libre devient de plus en plus occupée et constitue un apport dynamique qui favorise les discussions.

Les groupes représentatifs visent à susciter un débat sur le travail des groupes. Ce débat pourrait comprendre l'exposé d'un représentant de chaque groupe, des rapports d'activités ou la résolution de problèmes. Le groupe représentatif constitue un outil enrichissant et souple qui permet à tous les groupes de faire part du fruit de leur travail.

Vous pouvez faire appel aux groupes représentatifs à toutes les étapes de l'apprentissage pour obtenir rapidement des comptes rendus informels des travaux des groupes ou pour tenir des discussions plus approfondies, y compris des exposés que prépare avec soin chaque groupe. Ces groupes peuvent exister conjointement avec toute autre forme de regroupements et constituent un excellent moyen d'obtenir des informations émanant de chacun d'eux.

5.7 Créer un climat de coopération et favoriser l'acceptation des différences et l'entraide

Même si vous avez passé le mois de septembre et une partie du mois d'octobre à créer un climat où la tolérance et l'entraide étaient des valeurs importantes dans votre classe, il demeure primordial d'investir dans le climat de la classe. Voici quelques structures coopératives que vous trouverez sans doute précieuses. Nous reconnaissons que vos programmes et vos objectifs sont prioritaires, mais nous vous encourageons à ne pas mettre de côté la valeur de coopération enseignée chaque mois.

Structure

Méli-mélo

Démarche

1. Distribuer les cartes questions-réponses à tous les élèves. Les questions sont d'une couleur et les réponses, d'une autre.
2. Demander aux élèves de circuler silencieusement et d'échanger leurs cartes. Ils doivent en lire le contenu.
3. Donner le signal pour commencer le méli-mélo. Les élèves doivent jumeler la question à la bonne réponse. Dès que les élèves font correspondre leurs cartes, ils doivent se placer à l'écart des autres.
4. Vérifier les réponses et encourager celles et ceux dont les réponses sont erronées.
5. Demander aux élèves de lire à haute voix le texte des deux cartes jumelées et d'expliquer leur jumelage.

6. Féliciter les élèves et faire une synthèse du contenu.
7. Encourager les élèves à la réflexion critique.
8. Refaire le méli-mélo.

Note : il existe trois catégories de cartes : par exemple une carte pour les formes géométriques, une autre pour les noms et une autre encore pour les définitions de ces formes.

Source : S. Kagan. *Cooperative Learning,* Kagan Cooperative Learning, San Juan Capistrano, CA, 1996.

Structure

Bingo !

Démarche

1. Distribuer à chacun des élèves une carte de bingo et un crayon.
2. Expliquer le but du jeu : « Vous devez trouver des camarades qui répondent aux énoncés écrits dans les cases de votre carte. Le premier qui réussit à former une ligne horizontale, verticale ou diagonale crie "bingo" et gagne la partie. »
3. Demander aux élèves de chercher la personne correspondante en interrogeant leurs camarades sur un des énoncés mentionnés sur leur carte. Si, après avoir lu l'énoncé, un camarade répond positivement, il écrit son prénom dans la case correspondante. Le nom d'un élève ne peut figurer qu'une seule fois sur la carte.
4. Lorsqu'il y a bingo, vérifier l'exactitude des éléments nommant chaque élève inscrit.
5. Mettre fin au jeu si l'élève a bel et bien complété la ligne et que le bingo est réussi.
6. Reprendre les cartes de bingo et former des groupes autour des éléments communs.

Note : demander aux élèves de faire cette activité en chuchotant !

Étoiles

Privilégier l'estime de soi et la confiance

Démarche

1. Demander aux élèves de dessiner une étoile à cinq ou six pointes sur une feuille de 28 cm × 22 cm et d'y écrire leur nom au centre.
2. Attendre que chaque élève ait terminé le découpage de l'étoile.
3. Demander aux élèves de circuler dans la classe et d'échanger leurs étoiles sans regarder les noms. Au bout de 15 secondes, les élèves cessent d'échanger et gardent l'étoile qu'ils ont en main.
4. En catimini, chaque élève écrit un petit quelque chose dans une pointe de l'étoile qu'il a en main. Il peut s'agir de compliments, de remerciements, de descriptions et de traits de caractère élogieux.
5. Si les élèves ne connaissent pas bien la personne de laquelle ils ont reçu l'étoile, leur suggérer de demander des idées aux autres élèves.
6. Répéter les étapes 3 et 4 jusqu'à ce que toutes les pointes soient remplies.
7. Recueillir toutes les étoiles et les remettre à l'élève dont le nom figure au centre. Les élèves, à tour de rôle, lisent à haute voix ce que leurs pairs ont écrit sur eux.
8. Exposer les étoiles sur un mur appelé « Étoiles brillantes ».

Note : si les enfants sont plus jeunes, leur faire remplir seulement deux pointes de l'étoile à la fois et leur faire poursuivre l'activité un autre jour.

5.8 Former de nouveaux groupes de base hétérogènes

Vos groupes de base hétérogènes sont formés depuis le mois d'octobre. Or, il est maintenant temps de les dissoudre et d'en créer de nouveaux. Vous avez consacré beaucoup de temps et d'énergie à créer ces groupes, alors que vos élèves ont créé de nouveaux liens. Veillez donc à ce que vos élèves prennent le temps de s'écrire des cartes de souhaits, de se remercier pour ce qu'ils ont fait pour le bon fonctionnement du groupe et pour ce qu'ils y ont appris. De cette manière, la dissolution leur sera moins pénible.

Nous l'avons fait ensemble

À la dissolution des groupes, demandez à vos élèves de remplir un tableau semblable à celui-ci.

Notre meilleur moment	Plus jamais!	Un souhait

Pour remplir le tableau ci-dessus, vos élèves font un remue-méninges sur:

- ce qu'ils ont accompli en groupe et ce dont ils sont fiers. Il peut s'agir de tâches scolaires ou d'une habileté coopérative bien assimilée, comme l'écoute mutuelle;
- ce qui les a frustrés, par exemple des activités en particulier, des tâches ou des expériences qu'ils ont faites en groupe. Il peut s'agir d'une mésentente à propos du titre de leur projet ou de leur incapacité à apprendre le passé simple;
- ce qu'ils auraient aimé avoir le temps de faire ou qu'ils auraient aimé faire ensemble.

Soyez attentive aux souhaits formulés: ils vous donneront une foule d'idées pour enseigner et donner des récompenses.

Les membres du groupe se concentrent sur la première colonne du tableau et songent aux façons de célébrer leurs succès. Les groupes partagent leurs succès avec la classe par l'intermédiaire d'un porte-parole. De votre côté, vous ne tarissez pas d'éloges. À ce sujet, voici quelques suggestions: acclamations ou applaudissements de la classe, vague, mention au babillard de la classe ou de l'école et jeux coopératifs.

Par ailleurs, pour structurer vos nouveaux groupes de base hétérogènes, recourez à la méthode suggérée au mois d'octobre. Essayez de tenir compte des préférences de vos élèves et fiez-vous à votre perspicacité pour les former. Vous devriez accorder à ces groupes autant de temps qu'en octobre pour se consolider. Il leur sera alors plus facile d'appliquer le concept du travail de groupe.

Les deux activités qui suivent ont pour but de créer la cohésion du groupe. Quelques-uns de nos collègues les utilisent avec succès. C'est à vous de décider si elles conviendraient à vos besoins.

Exercice de survie

Objectif: *négocier pour prendre des décisions en groupe*

Démarche

1. Demander aux élèves de lire l'histoire ci-après et de classer, par ordre d'importance, les objets qu'ils conserveraient si cette histoire leur arrivait.
2. Les élèves décident ensemble des objets nécessaires à leur survie. Tous les membres du groupe doivent pouvoir décrire les objets choisis et expliquer leurs choix.

Tu te retrouves brutalement à la mi-janvier dans les bois, au sud du Manitoba. Il est 11 h 32. Ton avion a tenté d'amerrir, mais il s'est écrasé. Le pilote et le copilote sont morts. L'avion a vite coulé, en emportant leur corps. Les passagers sont tous sains et saufs.

Cette catastrophe est arrivée avant même que le pilote n'ait eu la chance d'appeler les secours ou de donner sa position. Le pilote essayait d'éviter la tempête, et l'avion s'est écarté de son parcours régulier. Cependant, juste avant l'amerrissage, le pilote a annoncé que vous vous situiez à 30 kilomètres au nord d'un petit village habité.

Tu es en pleine nature; il y a beaucoup de neige. Le dernier bulletin météorologique indiquait que la température atteindrait –25 °C le jour et –40 °C la nuit. Tu es en tenue de ville: pantalon, souliers et manteau.

Les passagers ont pu récupérer 20 objets. Ta tâche est de placer ces objets par ordre d'importance pour ta survie, en commençant par le numéro **1** pour l'objet que tu considères comme le plus important, et ainsi de suite jusqu'à **12,** pour l'objet le moins important.

Tu peux tenir pour acquis que le nombre de passagers est le même que celui de ton groupe et que ce dernier a consenti à demeurer uni.

Exercice de survie

Par ordre d'importance

Objet	**Ta priorité**	**Priorité du groupe**
Morceau de laine d'acier		
Journaux (un par passager)		
Boussole		
Hache		
Briquet sans essence		
Pistolet chargé de calibre 45		
Carte aérienne plastifiée		
Grosse toile de 7 × 7 m		
Pantalon et chandail en surplus pour chaque survivant		
Contenant de saindoux		
Un litre de whisky		
Tablette de chocolat de format familial (une par passager)		
TOTAL		

L'île déserte

Objectif: négocier pour prendre des décisions en groupe

Démarche

1. Lire l'histoire ci-dessous.
2. Tenter de résoudre le problème avec le groupe d'élèves, à l'aide de la liste des objets fournis.
3. Dresser la liste finale sur une feuille à part. Tous les membres du groupe doivent s'entendre sur la solution.

Vous êtes, avec un groupe d'amis, sur un bateau qui fait naufrage. Les chaloupes de sauvetage ne peuvent recevoir qu'un nombre limité de passagers et d'objets. Vous apercevez au loin une île déserte. Si vous réussissez à la rejoindre, il vous faudra certaines provisions pour y survivre.

Vous ne pouvez charger que 18 objets dans la chaloupe, trois de chacune des six catégories ci-dessous. Examinez bien la liste des objets et, avec votre groupe, décidez lesquels emporter et lesquels abandonner. Tous les membres du groupe doivent s'entendre sur les objets à emporter et à abandonner. Vous devez donc travailler en groupe et non individuellement.

Catégorie 1	Catégorie 2	Catégorie 3
Fusées éclairantes	Oreillers	Eau potable
Allumettes	Sacs de couchage	Soda
Lampes de poche	Tente	Café
Lampes à huile	Couvertures	Jus en boîte
Huile	Draps	Bière
Piles	Vestes et manteaux	Thé
Ouvre-boîte	Vêtements supplémentaires	Whisky
Ustensiles		

Catégorie 4	Catégorie 5	Catégorie 6
Sel	Arcs et flèches	Viande congelée
Farine	Couteaux	Fruits séchés
Sucre	Carabine	Légumes séchés
Levure	Munitions	Fruits frais
Lait en poudre	Canne à pêche	Légumes frais
Cachets pour purifier l'eau	Petites chaises	Haricots en conserve
	Vaisselle	Soupe en sachet
	Trousse de premiers soins	
	Cordes	

5.9 Commencer à enseigner les habiletés de coopération de niveau moyen

Vous devez vous demander pourquoi continuer à mettre en pratique les habiletés coopératives étant donné que les habiletés fondamentales permettent à vos élèves de bien fonctionner. Rappelez-vous que les activités deviennent exigeantes sur le plan cognitif, et nous croyons que vos élèves doivent acquérir des habiletés interpersonnelles qui peuvent solliciter les plus hauts niveaux d'interactions cognitives.

À l'aide des techniques des mois d'octobre et de décembre, vous devriez pouvoir commencer à enseigner le second niveau d'habiletés coopératives. Gardez à l'esprit que vous pouvez utiliser un graphique en T pour exploiter les habiletés interpersonnelles et cognitives. Par ailleurs, vous devriez établir un modèle de ce que vous faites et de ce que vous dites quand vous recourez aux habiletés cognitives figurant dans la liste ci-dessous. Cette méthode de l'enseignement explicite du caractère oral permet à vos élèves de comprendre la nature de l'habileté ; de plus, ce processus métacognitif les encouragera à agir de même. À ce stade, vous pouvez demander à un groupe de préparer un jeu de rôle comprenant des interactions tout en utilisant ou pas une habileté coopérative. Si vos élèves éprouvent des difficultés à propos des graphiques en T, prenez le temps de discuter avec eux des comportements qui favorisent l'habileté ciblée et de ceux qui nuisent à celle-ci. Enfin, faites un remue-méninges pour trouver le vocabulaire adéquat et exprimer ces habiletés.

2e niveau d'habiletés cognitives	2e niveau d'habiletés interpersonnelles
1. Rappeler le but du travail.	1. Exprimer son appréciation.
2. Partager les informations et les idées.	2. Exprimer son désaccord de façon respectueuse.
3. Suggérer des moyens de travailler le plus efficacement possible.	3. Encourager les autres.
4. Vérifier la compréhension des autres.	4. Parler à tour de rôle.
5. Offrir des explications.	5. Se montrer enthousiaste.
6. Élaborer quelque chose à partir des idées des autres.	
7. Partager les stratégies utilisées pour parvenir à une réponse.	

Voici un exemple dont peuvent s'inspirer les enseignants pour expliquer clairement une habileté abstraite afin d'aider les élèves à comprendre les stratégies inhérentes à une tâche. Demandez à vos élèves des idées pour remplir un tableau semblable à celui figurant ci-après. Cette activité leur permettra de comprendre le processus cognitif et d'enrichir la métacognition.

Faire une synthèse

Qu'est-ce que je dis dans ma tête?	Qu'est-ce que je vois dans ma tête?	Qu'est-ce que je fais dans ma tête?
Résumé Sommaire Schéma Combinaison	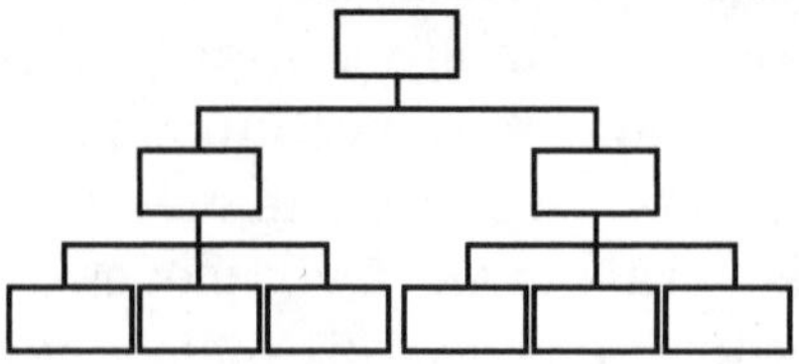 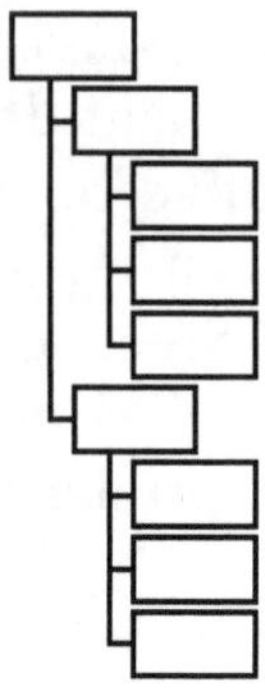 1._____ 1.1 _____ 1.2 _____ 2._____ 3._____ 3.1 _____ 3.2 _____ 4._____	1. Ai-je bien compris la tâche à accomplir? 2. Quels éléments dois-je regrouper en un tout cohérent selon les exigences de la tâche? Qu'est-ce qui les caractérise? Quelles relations ont-ils? Lesquels sont essentiels? 3. J'essaie de me représenter globalement les éléments essentiels et leurs interrelations. 4. Je vérifie si ma représentation globale répond à la tâche demandée et j'intègre tous les éléments essentiels. 5. Si j'ai répondu oui au n° 1, j'ai terminé; sinon, je reprends au n° 3.

Cette activité a été créée par Mario Gauvreau, conseiller pédagogique.

5.10 Utiliser les rôles pour résoudre les problèmes de fonctionnement des groupes

Jusqu'ici, vous avez utilisé les rôles pour structurer l'interdépendance des groupes. À ce stade-ci, nous vous suggérons de vous servir également de certains rôles pour résoudre les problèmes de fonctionnement de groupes spécifiques. La première colonne du tableau suivant énumère ces problèmes alors que la troisième suggère des solutions.

Problèmes de fonctionnement du groupe et rôles sociaux

Problème	Rôle	Solution
Manque de motivation	Responsable de la motivation	Écoutons Marie. Nous pouvons y arriver! (Amène le groupe à louanger un de ses membres.) Bravo, les Tigres! Idée fantastique! Donnons une petite tape dans le dos de Tarek!
Participation inégale	Gardienne ou gardien	C'est très intéressant Joël... Qu'en penses-tu, Miyuki? Charles, partages-tu l'opinion de Lucie?
Difficulté à maîtriser le contenu ou à comprendre celui-ci	Vérificatrice ou vérificateur	Résolvons chacun un problème. Tout le monde est-il d'accord avec cette solution?
Groupe ou membres hors du sujet	Responsable du temps	(Utilise un langage positif.) Nous n'avons pas encore fait la deuxième partie. Groupe, il ne reste que cinq minutes!
Faibles comptes rendus du groupe	Responsable de la tâche (maître d'œuvre)	Attendez, laissez-moi l'écrire! Peux-tu répéter cette réponse, s'il te plaît?
Niveau de bruit trop élevé	Capitaine silence	Parlons moins fort!

Assignez des rôles uniquement lors d'activités coopératives moins structurées, comme le projet de groupe ou les discussions de groupe.

Nous suggérons d'**utiliser** les rôles lors d'activités coopératives moins structurées, comme le projet de groupe ou les discussions de groupe.

Il existe un certain nombre de structures qui privilégient des habiletés coopératives spécifiques, mais ces habiletés mises en pratique ne sont pas toujours utilisables dans d'autres contextes.

Structures exigeant des habiletés coopératives spécifiques

Écoute	Grille de groupe Entrevue en trois étapes
À tour de rôle	Table ronde Jetons de participation
Aide	Vérification à deux Cercles concentriques Têtes numérotées ensemble

Structure

Têtes numérotées ensemble

Démarche

1. Former des groupes de quatre. Identifier les membres de chacun des groupes par un numéro de 1 à 4.
2. Poser une question qui génère :
   - une réponse courte (quelle est la capitale du Québec ?) ;
   - une question « vrai ou faux » ;
   - une question à choix multiples ;
   - un mot manquant ;
   - une opinion.
3. Demander à chacun des groupes de se consulter de façon que tous les membres puissent répondre à la question posée (fixer une limite de temps, s'il y a lieu).

4. Après quelques moments de consultation, nommer un chiffre de 1 à 4. (Cette étape peut se faire à l'aide d'un dé numéroté de 1 à 4 ou d'une roue de fortune.) Les élèves ayant le chiffre 3 par exemple peuvent donner la réponse, soit:
   - en levant la main et en donnant la réponse;
   - en écrivant la réponse au tableau;
   - en pointant le pouce vers le haut ou vers le bas pour une question «vrai ou faux»;
   - en répondant par écrit sur une feuille si la question demande une réponse courte;
   - en montrant une carte réponse identifiée par la lettre A, B, C ou D, si la question est à choix multiples.

S. Kagan, 1996.

Cours de science de 6e année. Des groupes de trois élèves font des expériences en laboratoire et produisent des rapports qu'ils présenteront à la classe. L'enseignante circule dans la classe et observe le travail des groupes. Elle laisse tomber des haricots dans un cylindre de plastique gradué, prévu à cet effet, sur la table de chaque groupe, pour récompenser les habiletés coopératives mises en pratique. À mesure que les haricots tombent doucement au fond du récipient, la motivation des membres du groupe augmente. «Hé, nous avons un point, hâtons-nous! As-tu vu cela? Tiens, lis le texte. Comprends-tu ça?»

Nous présumons qu'il n'est pas nécessaire de véhiculer ces comportements dans des structures coopératives simples. Cependant, il est important que les élèves en connaissent la terminologie pour communiquer verbalement certains de ces comportements. Vous devriez afficher une liste de phrases dans la classe pour que vos élèves puissent la consulter pendant qu'ils mettent en pratique une habileté donnée **dans** le contexte de la structure.

Moments de réflexion

Janvier **5e mois**

Ai-je eu ou ai-je pris le temps… ? ✔

5.1 De mettre pleins feux sur le droit à l'erreur ❑

5.2 D'observer rigoureusement les habiletés de coopération à l'aide des grilles d'observation ❑

5.3 D'utiliser des groupes associés pendant de brèves périodes ❑

5.4 D'utiliser facultativement la méthode de travail d'équipe et d'examen individuel (MTÉEI) ❑

5.5 De privilégier la réflexion critique après les activités de coopération ❑

5.6 De réfléchir sur le développement des habiletés de coopération à l'aide du groupe représentatif ❑

5.7 De créer un climat de coopération et favoriser l'acceptation des différences et l'entraide ❑
- *Méli-mélo* ❑
- *Bingo !* ❑
- *Étoiles* ❑

5.8 De former de nouveaux groupes de base hétérogènes ❑
- *Exercice de survie* ❑
- *L'île déserte* ❑

5.9 De commencer à enseigner les habiletés de coopération de niveau moyen ❑

5.10 D'utiliser les rôles pour résoudre les problèmes de fonctionnement des groupes ❑
- *Têtes numérotées ensemble* ❑

Mes notes personnelles :

____

____

____

____

____

Février

6e mois

Confiance

Ouverture envers les autres

Entraide

Égalité

Droit à l'erreur

 Solidarité

Engagement

Plaisir

Synergie

INTRODUCTION

La pédagogie de la coopération est dynamique et englobe des valeurs, des stratégies d'enseignement et d'apprentissage, ainsi que des techniques d'animation. À cette étape-ci, il est important de confier la responsabilité de l'observation aux élèves afin de promouvoir l'acquisition des habiletés de coopération. Au cours du mois, nous vous recommandons de continuer à mettre en pratique les habiletés coopératives d'un niveau plus complexe et à structurer des tâches d'observation pour les élèves. Pour les aider dans ce rôle, vous expliquerez comment faire une rétroaction et vous en donnerez des exemples. Aussi, vous grefferez le groupe représentatif à la gestion de votre classe et utiliserez trois nouvelles structures pour enseigner la nouvelle matière.

6.1 Pleins feux sur la solidarité

Soulignez leurs comportements positifs

Demandez à l'ensemble du groupe ou à l'observatrice ou l'observateur de prendre note des comportements faisant preuve de solidarité. Prévoyez une période pour les commentaires. Après une période prédéterminée, le groupe, l'observatrice ou l'observateur fait le compte rendu de ses notes sur les témoignages de solidarité.

Maintenant que vos élèves savent ce qu'est d'avoir un objectif commun et qu'ils se soucient de l'apprentissage des autres membres, la solidarité règne au sein du groupe. La solidarité est le fruit de la confiance, de l'ouverture et de l'engagement envers les autres. Discutez de ce qu'elle représente en classe. Les groupes devraient formuler quelques suggestions et élaborer des scénarios réalistes comprenant cette valeur.

6.2 Insister sur les habiletés de coopération de niveau moyen

En janvier, vous avez présenté le deuxième niveau d'habiletés coopératives; or, février est un mois propice pour se consacrer à leur mise en pratique. Pour ce faire, encouragez vos élèves à enrichir leur répertoire d'habiletés interpersonnelles et cognitives d'un niveau plus élevé pendant qu'ils effectuent un travail traitant des objectifs scolaires qui découlent des programmes.

6.3 Se servir des élèves comme observateurs

La première rétroaction des observateurs à la maternelle (troisième mois de coopération)

« La plupart ont dit qu'ils regardaient les amis quand l'autre parlait. Tous les observateurs ont dit que les enfants (ils les nommaient) ont regardé la personne qui parlait, mais que quelques-uns ne le faisaient pas. Deux de ces enfants niaient ces remarques. J'ai alors expliqué que l'observateur ne dit pas cela pour nous faire de la peine, mais qu'il nous racontait ce qu'il avait vu. Trois sur cinq ont trouvé le rôle de l'observateur facile à comprendre, deux l'ont trouvé difficile.

Raison : les amis bougent trop, les amis disent "n'importe quoi"... »

Vous avez fait des observations formelles et informelles tout au cours de l'année. Il est maintenant temps pour que vos élèves profitent de cette expérience. Observer et voir ses pairs coopérer est une expérience d'apprentissage exceptionnelle. En effet, nous avons vu quelques fauteurs de troubles transformés par leur rôle d'observateur !

À mesure que les élèves apprivoisent la technique de l'observation, vous voudrez peut-être les entraîner à devenir des observateurs. Un élève-observateur rattaché à un groupe peut recueillir beaucoup plus d'information sur la dynamique du groupe que l'enseignante qui circule parmi tous les groupes. De plus, une des meilleures façons d'enseigner les habiletés de coopération aux élèves est de leur assigner le rôle d'observateur et de leur faire noter la fréquence à laquelle leurs camarades se servent des habiletés privilégiées. En écoutant leurs camarades et en prenant des notes sur l'utilisation des habiletés visées, les élèves viennent à les comprendre et à savoir comment les utiliser. Ainsi, puisque chaque membre du groupe aura la responsabilité d'observer, tous les élèves comprendront plus clairement et plus rapidement la nature des habiletés de coopération dont ils feront l'apprentissage.

La première chose à faire est de nommer un membre de chaque groupe comme observateur. Un membre du groupe pourra se porter volontaire ou vous aurez le loisir d'en choisir un au hasard. Cependant, il faudra veiller à ce que chaque membre soit choisi. Enfin, expliquez à la classe le rôle de l'observateur.

En donnant vos explications, vous pourrez modeler le rôle de l'observateur tout en révélant à la classe ce que l'observation doit apporter, avant d'entamer le travail en groupe. Vous devrez aussi discuter du contenu de la grille d'observation avec tous les groupes afin de ne pas être surpris par les observations et les commentaires sur les habiletés non visées. L'élève doit :

1. prendre des notes sur la dynamique du groupe de ce qu'il voit ou de ce qu'il entend sur la grille d'observation, se servir de la même grille d'observation que l'enseignante et l'utiliser de la même façon ; toutefois, en aucun temps il ne doit commenter ni intervenir ;

2. se tenir quelque peu éloigné du groupe afin de ne pas participer à l'activité coopérative, mais être assez près de lui pour observer la dynamique du groupe ;
3. obtenir le plus d'information possible sur les habiletés de coopération et le fonctionnement des groupes (les observateurs doivent être à l'affût des actions positives des membres et être complices de leurs actions à la prochaine séance) ;
4. faire part de la rétroaction positive de son observation au groupe et individuellement.

Afin de vous assurer que l'observateur connaît bien la matière, vous pouvez réserver du temps vers la fin de la période pour que le groupe revoit le contenu de la leçon avec lui. Généralement, à ce stade, l'observateur connaît déjà assez bien la matière enseignée, mais les membres du groupe peuvent la comprendre davantage en la révisant.

L'observateur fait un rapport sur le résultat de ces observations au groupe et fait part aux membres, individuellement, de ses commentaires positifs sur leur interaction avec les autres membres. Une rétroaction positive destinée au groupe et à ses membres peut représenter un plus grand défi aux yeux des élèves que l'observation elle-même.

L'élève-observateur pourrait se conformer aux directives suivantes pour remplir la grille d'observation (*voir l'annexe 12*).

1. Cocher la case appropriée chaque fois qu'une habileté de coopération est mise à profit.
2. Noter chaque geste ayant trait à une habileté de coopération : sourire, signe de la tête, regard, indication du doigt, etc.
3. Noter au verso de la grille d'observation tous les éléments intéressants, mais qui ne peuvent pas être inscrits dans les catégories établies.
4. Noter pour chaque membre du groupe un ou plusieurs comportements positifs observés pendant la séance.
5. Noter des mots ou des phrases précis afin de se les rappeler lorsqu'il faudra faire part des observations au groupe.
6. Noter le plus grand nombre possible de comportements, mais ne pas tenter de les noter tous.

Il n'est pas nécessaire de se servir d'élèves-observateurs tout le temps. Il se peut que leur utilisation ne soit pas très efficace, du moins pas avant que les élèves n'aient participé plusieurs fois à des groupes d'apprentissage coopératif faisant l'objet d'observations et de rétroaction de la part de l'enseignante. Au début, vous pourrez vous contenter de structurer les groupes sans vous soucier de nommer, en plus, les élèves-observateurs.

Toutefois, pour la période d'apprentissage des habiletés interpersonnelles et cognitives, il est important d'observer et de formuler des commentaires positifs. Lorsque les élèves auront apprivoisé le travail coopératif et la rétroaction, les périodes d'observation seront moins fréquentes – peut-être seulement lorsqu'une nouvelle habileté sera ajoutée ou qu'un problème surgira dans un groupe. Il faut amener les élèves à devenir d'habiles participants-observateurs jusqu'à ce qu'ils participent activement à la tâche à accomplir tout en observant l'interaction des membres du groupe. Seul le groupe le plus habile et le plus avancé pourra dire: «Il y a quelque chose qui ne fonctionne pas. On a besoin d'un observateur.»

6.4 Enseigner et décider la façon de donner une rétroaction

Si vous décidez de faire part de votre rétroaction aux groupes, vous avez alors le choix entre établir le nombre de comportements souhaitables et le dévoiler à chacun des groupes, ou de leur montrer uniquement la partie de la grille d'observation qui les concerne et de leur poser les questions suivantes: Quelle conclusion pouvez-vous en tirer? Est-ce que vous auriez pu être plus actifs? Auriez-vous pu vous encourager davantage et était-ce nécessaire? Aurait-il été possible de vérifier plus souvent si les élèves comprenaient? Tous les membres du groupe comprenaient-ils bien la tâche?

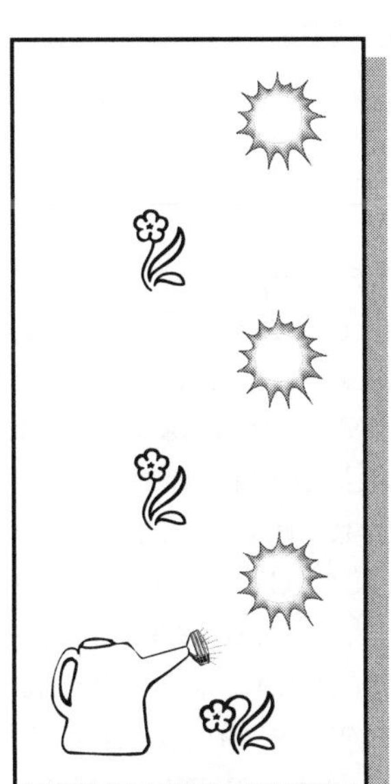

Essayez d'établir un équilibre entre les traits positifs et les traits négatifs en adoptant le principe «deux qui brillent, un à polir». Ce principe demande à l'élève de trouver deux comportements qui ont favorisé le fonctionnement du groupe et un troisième susceptible d'être amélioré.

Vous devez observer certains principes, pour donner une rétroaction positive[1]. Les voici.

1. **Ne notez jamais les comportements négatifs** dans la grille d'observation, par exemple lorsque vous avez entendu une remarque désobligeante.
2. **Faites des descriptions** comme si vous faisiez partie du groupe. Parlez uniquement de ce que vous avez vu et entendu, par exemple «J'ai vu trois de vos membres parmi les quatre commencer à travailler dès le début.»
3. **Adressez-vous uniquement au groupe** et non pas aux membres, par exemple «J'ai remarqué que Fabio a ramassé tout le matériel» au lieu de «Fabio, tu as ramassé tout le matériel!»
4. **Décrivez des situations précises,** par exemple «Manuel a posé une question à laquelle personne n'a répondu.»
5. **Donnez une rétroaction *uniquement sur les habiletés et les comportements dont vous avez parlé à vos élèves,*** à moins que vous n'ayez conclu une autre entente avec eux. Si vous avez dit à votre classe que vous n'observeriez que les chuchotements et le partage de l'espace, ne faites pas de remarques si vos élèves n'ont pas

1. D'après Johnson, D., R. Johnson et E. Holubec, *La coopération en classe*, traduction et adaptation par J. Howden et J. Arcand. *Cooperation in the Classroom*, Minnesota, Interaction Book Co., 1997.

vérifié la compréhension de chacun des membres du groupe, surtout si vous n'avez pas abordé cette habileté. Si vous désirez formuler d'autres observations, n'oubliez pas d'en aviser la classe avant de commencer la séance.

6. **Soyez brève** et notez les réactions de vos élèves. Ne dites rien qui puisse échapper à leur entendement.
7. **Faites connaître votre rétroaction immédiatement** après l'activité, la réflexion critique devant avoir lieu tout de suite.
8. **Répétez les paroles et les actions** qui correspondent parfaitement à l'habileté enseignée, par exemple « J'ai entendu beaucoup de reformulations ».
9. Rappelez-vous que la rétroaction favorise la **croissance** et l'**amélioration**. Motivez vos élèves en étant aussi positive que possible sans avoir l'air faux.

6.5 Utiliser les groupes représentatifs pour enseigner des habiletés spécifiques, présenter les exposés des groupes et gérer la classe

La première tâche d'un groupe représentatif est d'enseigner des habiletés spécifiques. Nommez un représentant dans chaque groupe de base et tenez ces élèves à l'écart pour leur présenter une habileté spécifique ou pour leur expliquer une tâche précise. Il pourrait s'agir d'un nouveau programme informatique, de l'utilisation d'une machine à coudre dans un cours d'économie familiale ou d'une fonction particulière d'une calculatrice. Les représentants retournent par la suite dans leur groupe et « enseignent » ce qu'ils ont appris aux autres membres. Autant les enseignants du primaire que les enseignants du secondaire peuvent avoir recours à ce type de regroupement.

> « J'ai enseigné aux représentants de chaque groupe comment dribbler au basket-ball. Ils sont retournés dans leur groupe et ont transmis leurs connaissances à leurs pairs. Quelle façon fantastique d'améliorer ma façon d'enseigner et de valoriser l'estime de soi de mes élèves ! » (*Un enseignant d'éducation physique*)

La deuxième tâche d'un groupe représentatif est de faciliter les exposés, résultat de la recherche du groupe. On invite alors un représentant devant la classe qui participera à une table ronde. Vous y siégez. Un siège libre est réservé à un membre qui veut poser des questions ou formuler des commentaires. Chaque représentant est invité à exposer le projet de son groupe puis à participer, après coup, à une période de questions. Votre rôle est de clarifier tous les points obscurs et de diriger les exposés. C'est là une occasion rêvée pour expérimenter la dynamique d'une classe démocratique et pour favoriser la participation de vos élèves.

La troisième tâche du groupe représentatif consiste à appliquer un type de gestion de classe selon une version modifiée du conseil de coopération[2]. On réunit généralement le conseil pour les interventions individuelles au sein de la classe et susciter la discussion: «Je remercie..., je félicite..., j'ai un problème avec..., l'esprit de la classe est...». Les élèves se placent en cercle, vous présidez la réunion et rédigez un procès-verbal (les élèves prendront la relève plus tard). Par la suite, les élèves travaillent au sein de leur groupe de base pour trouver des solutions aux problèmes soumis au conseil. Les groupes de base aux prises avec des difficultés peuvent soumettre un problème au conseil en disant: «Nous voulons parler de..., nous avons un problème avec...». Tous les problèmes sont résolus au sein des groupes de base plutôt que sur une base individuelle.

Voici comment la classe pourrait être disposée.

Les groupes représentatifs

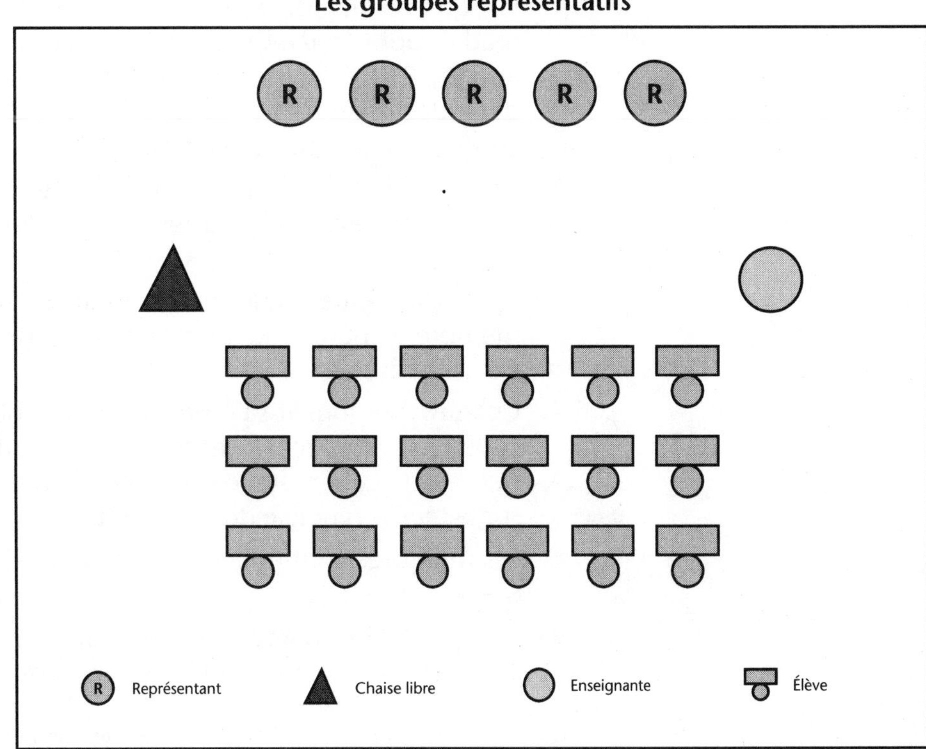

2. Jasmin, Danielle. *Le Conseil de coopération: un outil de gestion pédagogique de la vie en classe*, Montréal, CEQ, Les Éditions de la Chenelière, 1993.

6.6 S'inspirer de structures précises pour enseigner de nouvelles matières

Structure

Casse-tête de groupe

Démarche

1. Préparer le matériel avant toute chose.
2. Former des groupes de quatre élèves.
3. Distribuer des feuilles identifiées par les lettres A, B, C et D aux membres de chaque groupe.
4. Informer les élèves de la tâche à accomplir. Chaque élève possède sur sa feuille une *partie* de l'information (un indice). Les quatre membres du groupe doivent se partager l'information pour trouver la réponse ou la solution (A : J'ai quatre angles ; B : J'ai au moins deux angles de 90° ; C : Au moins deux des côtés sont parallèles ; D : J'ai deux paires de côtés congrus ; je suis donc un rectangle).
5. L'élève qui a la feuille A lit l'indice 1 à haute voix. Le deuxième élève, qui a la feuille B, lit aussi son indice 1, et ainsi de suite.
6. Après avoir entendu les quatre indices du numéro 1, chaque membre écrit ce qu'il croit être la bonne réponse dans l'espace réservé.
7. Chaque membre lit sa réponse. Les membres du groupe discutent et décident de la réponse du groupe pour le numéro 1. La secrétaire ou le secrétaire inscrit cette réponse sur la feuille-réponse du groupe (E).
8. Les membres continuent jusqu'à ce que la feuille E soit remplie.
9. Lorsque la feuille-réponse du groupe est remplie, chaque membre y appose sa signature pour signifier son accord.

Note : quand les élèves ont compris la structure de cette activité, les groupes peuvent participer à la création de nouvelles activités en s'inspirant de ce modèle. Leur contenu doit être cependant différent.

Structure

Casse-tête d'expertise

Démarche

Le casse-tête d'expertise est une structure qui se prête bien à l'étude d'un nouveau contenu à l'aide du matériel existant.

1. Diviser la classe en groupes de base hétérogènes. Il peut s'agir des groupes formés à l'origine. Chaque membre choisit ou se fait assigner une partie du contenu à s'approprier, par exemple partie 1, partie 2, partie 3 et partie 4).
2. Les élèves sont ensuite regroupés (partie 1, ensemble, partie 2, ensemble, etc.) et forment des groupes d'« experts ». Ils discutent et travaillent ensemble pour s'approprier le contenu à l'aide des textes et du matériel que vous leur fournissez.
3. Les élèves retournent dans leur groupe d'« origine ». Chacun des membres, provenant d'un groupe d'experts différent, doit « enseigner » à son groupe d'origine le contenu dont il est responsable.
4. Vérifier les connaissances acquises en faisant un retour dans le groupe-classe et en assignant un devoir aux élèves.
5. Demander aux groupes de faire une réflexion critique sur le déroulement de l'activité et exiger que les élèves déterminent ce qu'ils pourraient améliorer ou faire différemment la prochaine fois.

Structure

Lecture à deux

Démarche

La lecture à deux est une structure qui permet aux élèves de mieux comprendre un texte. Assignez une lecture et une série de questions.

1. Trouver un partenaire.
2. Lire la première question ensemble.
3. Lire le texte individuellement jusqu'à ce que la réponse soit trouvée.
4. Partager les réponses.
5. Établir un consensus sur la réponse.
6. Écrire individuellement sa réponse.
7. Lire la deuxième question ensemble.
8. Répéter les étapes 3 à 6 jusqu'à ce que les membres aient répondu à toutes les questions.

Moments de réflexion

Février **6e mois**

Ai-je eu ou ai-je pris le temps… ✔

6.1 De mettre pleins feux sur la solidarité ❑

6.2 D'insister sur les habiletés de coopération de niveau moyen ❑

6.3 De se servir des élèves comme observateurs ❑

6.4 D'enseigner et de décider de la façon de donner une rétroaction ❑

6.5 D'utiliser les groupes représentatifs pour enseigner des habiletés spécifiques, présenter les exposés des groupes et gérer la classe ❑

6.6 S'inspirer de structures précises pour enseigner de nouvelles matières ❑
Casse-tête de groupe ❑
Casse-tête d'expertise ❑
Lecture à deux ❑

Mes notes personnelles

Mars

7e mois

Confiance

Ouverture envers les autres

Entraide

Égalité

Droit à l'erreur

Solidarité

 Engagement

Plaisir

Synergie

INTRODUCTION

Encore une fois, il est temps de former de nouveaux groupes de base. Si vous travaillez toujours avec les mêmes groupes de base, vous raterez une excellente occasion d'inculquer certaines valeurs à vos élèves. Développez l'esprit de groupe chaque fois que vous formez de nouveaux groupes de base. Ce mois-ci, vous enseignerez des habiletés coopératives de niveau moyen et vous pouvez organiser des tournois par équipe, ces derniers servant à réviser les matières scolaires. Nous vous suggérons également d'incorporer la plupart des structures apprises et que vous avez probablement intégrées à votre enseignement quotidien. Ce mois-ci, le défi que vous devrez relever consiste à dissoudre vos groupes de base avec autant de doigté que vous les avez créés.

7.1 Pleins feux sur l'engagement

Des problèmes de fonctionnement de groupe? Vous pouvez recourir à des rôles spécifiques (*voir le mois de janvier, 5.10*).

Il peut arriver que vous manquiez de vigilance, certains de vos élèves peuvent aussi ne pas participer aux activités coopératives avec autant d'énergie qu'ils le devraient. Cela s'appelle rester à la traîne ou l'indolence sociale.

Soulignez leurs comportements positifs

À la fin de la journée ou de la semaine, demandez aux groupes de base de s'interroger sur la participation optimale de chaque membre et sur les façons de la favoriser.

Les groupes discutent et partagent leurs observations. Tout au cours du mois, arrangez-vous pour que la valeur de l'engagement fasse partie des activités habituelles de réflexion critique.

Pour remédier à ce problème, vous devrez instaurer l'interdépendance positive et la responsabilité individuelle* (*voir l'outil de survol et d'autres ressources sur la nature de l'apprentissage coopératif*), et vous ne manquerez pas de surveiller les élèves qui ne s'engagent pas totalement. Passons tout d'abord à l'action et faisons pleins feux sur l'engagement!

Demandez aux groupes de discuter de la signification de l'engagement et de la manière de se comporter pour véhiculer cette valeur. Que devraient-ils faire s'ils constatent qu'un des leurs est à la traîne? Que devraient-ils faire s'ils échouaient une première fois, puis une seconde dans leurs tentatives de le ramener sur la bonne voie? Comment devraient-ils éviter ces problèmes?

* La responsabilité de l'apprentissage incombe à chaque élève, à chaque groupe.

7.2 Former de nouveaux groupes de base à la mi-mars à partir des critères de janvier

Il serait pertinent, pour former vos groupes de base, à cette étape de l'année scolaire, de demander à vos élèves de choisir un pair avec lequel ils aimeraient travailler au cours des cinq ou six prochaines semaines. Chaque fois que vous avez recours à cette stratégie, il est important de leur expliquer les valeurs de la coopération ; après tout, chacun a le droit de travailler avec tout le monde dans la classe ! Ensuite, formez minutieusement vos groupes de quatre élèves selon leur rendement scolaire et leurs traits de caractère. Respectez leurs différences. Vous préférerez peut-être utiliser la grille sociométrique du mois de janvier et former des groupes de base de trois élèves. Certains chercheurs en apprentissage coopératif préfèrent ces groupes de trois, où l'interaction est plus grande à leurs yeux. Nous recommandons de répartir soigneusement les rôles et les tâches de toutes les activités des groupes de base de trois élèves, car les interactions se font souvent entre deux élèves, le troisième ayant l'impression d'être laissé pour compte.

7.3 Accorder du temps pour créer l'esprit de groupe

Pour recréer l'esprit de groupe et combler les besoins affectifs des élèves dans leurs groupes nouvellement formés, nous vous proposons les structures suivantes, encore que vous ayez la possibilité d'en utiliser d'autres. L'écoute active, le respect mutuel, la politesse et le droit de participer de chacun sont tous des ingrédients nécessaires.

Structure

Fiche d'identité

Démarche

1. Former des groupes de quatre élèves.
2. Demander aux élèves de remplir leur fiche. Pour ce faire :
   - Inscrire son nom au centre ;
   - Dans chacun des quatre coins de la fiche :
     A. Indiquer un lieu de vacances préféré ;
     B. Indiquer son loisir préféré ;
     C. Écrire ou dessiner quelque chose de représentatif de sa personnalité ;
     D. Inscrire le nom d'une personne que l'on admire beaucoup.

Exemple de réponses

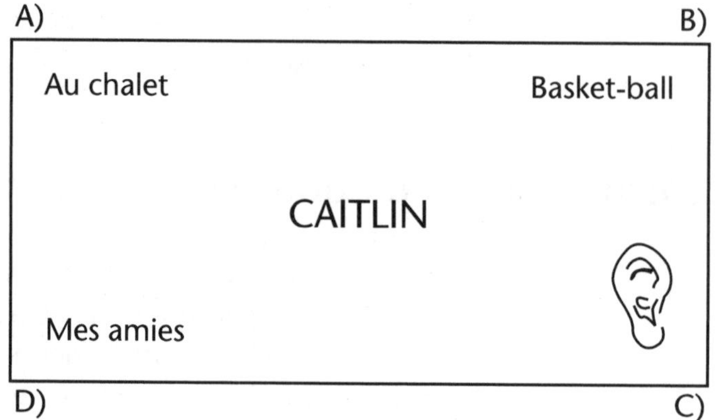

3. Une table ronde permet aux membres du groupe de partager les informations qui se trouvent sur les fiches. Encouragez vos élèves à trouver des liens et célébrez la diversité !

Structure

Pareil, pas pareil…

Démarche

Cette structure permet d'améliorer la communication.

1. À l'aide de deux images presque identiques, deux élèves, sans se montrer leur image, tentent de trouver les éléments identiques et les éléments différents sur chacune d'elles.
2. Ils doivent communiquer pour décrire chacun leur image en utilisant les questions qui demandent une réponse « oui » ou « non ». Après chaque item trouvé, ils doivent changer de rôle.
3. Amener les élèves à réfléchir sur leur façon de procéder : « Est-ce toujours la même personne qui pose les questions ? » « Est-ce que vous décrivez chacun votre image avant de trouver les différences ? » « Quelles stratégies préconiserez-vous pour trouver les similarités et les différences ? »

Structure

Unité et diversité

Démarche

1. Les membres du groupe font un remue-méninges sur un sujet en particulier afin de découvrir des choses qu'ils ont en commun.
2. Après avoir trouvé une catégorie générale (par exemple, les parcs d'attractions), les membres du groupe sont invités à trouver un lien encore plus étroit (par exemple, tout le monde a visité La Ronde et est monté dans les montagnes russes).

Note: les sujets de départ peuvent concerner, par exemple, la famille, les sports, la nourriture, les passe-temps, etc. On peut aussi recourir à cette variation pour étudier un sujet au programme scolaire.

7.4 Enseigner les habiletés coopératives de niveau moyen

Vous avez maintenant formé vos groupes de base pour la troisième fois. Veuillez inviter vos élèves à faire des efforts pour s'engager dans la coopération d'une façon plus intense, notamment en aiguisant leurs habiletés cognitives et interpersonnelles à l'intérieur des groupes de base. À cette époque de l'année, nous tenons souvent pour acquis que si le travail scolaire se déroule bien, cela signifie que les élèves ont intégré ces habiletés de façon satisfaisante ; toutefois, l'avantage de l'apprentissage coopératif repose sur le fait que les élèves peuvent aller plus loin dans leur cheminement que s'ils travaillent individuellement. Vous êtes peut-être en train de mettre à l'épreuve la méthode de révision présentée à l'article 7.5. Pendant que vous tentez de mettre en pratique la coopération grâce aux points d'amélioration et à l'esprit de compétition, il est important d'enseigner et d'exploiter des habiletés interpersonnelles et cognitives plus complexes. Cette année, votre groupe pourrait être en mesure d'acquérir des habiletés comme le partage de ses impressions ou de ses sentiments lorsque c'est pertinent, ou la mémorisation à haute voix, qui sont de niveau moyen. Une autre année, votre groupe pourrait être prêt à intégrer des habiletés de niveau plus avancé telles que les moyens menant à un consensus ou l'intégration d'un certain nombre d'idées différentes dans une perspective unique.

7.5 Présenter la méthode des tournois par équipe (MTÉ) pour assurer la révision

Plusieurs enseignants privilégiant l'apprentissage coopératif ont remporté un grand succès grâce à la méthode des tournois par équipe, méthode fondée sur la motivation et un système de récompenses. Divers groupes de base hétérogènes s'engagent dans des activités d'apprentissage mais participent à des tournois dans des groupes homogènes de même calibre. Si vos groupes sont bien structurés et que les activités prévues favorisent les valeurs de coopération, nous croyons que cet outil pourrait se révéler fort intéressant pour réviser et consolider l'apprentissage.

Méthode des tournois par équipe

La MTÉ (Slavin, 1986) a été présentée et analysée à la fin des années 1970. On l'a élaborée en tenant compte des principes qui soustendent la compétition entre groupes, les jeux en milieu scolaire et la théorie du renforcement. C'est une méthode qui incite les élèves à se familiariser avec l'« essentiel ».

La MTÉ ressemble beaucoup à la méthode des travaux d'équipe et d'examen individuel (MTÉEI), à la différence que, au lieu de répondre individuellement à un examen, les élèves participent à un tournoi où le rendement scolaire de chacun est comparable. Ces groupes homogènes de tournois comprennent trois élèves (il existe aussi des variantes à quatre ou à deux joueurs) où chacun gagne un certain nombre de points pour son groupe de base. La note finale est en donc une de groupe. Il ne s'agit pas ici d'octroyer une note sommative collective, mais plutôt de faire appel à l'aspect formatif de l'évaluation.

Pour former vos groupes de base hétérogènes, vous pouvez procéder selon la méthode suggérée. Pour ce faire, dressez une liste de vos élèves, du plus compétent au moins compétent dans la matière à l'étude. Si votre classe compte 24 élèves, par exemple, et que vous désirez former 6 groupes de 4, vous assignerez les six premiers élèves à un groupe de base différent. Vous ferez de même avec les six prochains élèves, jusqu'à ce que tous les groupes de base comptent quatre membres. Par exemple, le groupe de base rouge est formé de Diane, Julie, Ginette et Nuka. Ils constituent un groupe hétérogène. En étudiant ensemble, ils vont s'entraider et acquérir une compétence égale puisqu'ils veulent tous gagner des points pour leur groupe.

Les noms des élèves selon leur rang dans la matière	Groupe de base	Groupe de tournoi
1. Diane	Rouge	A
2. Gina	Bleu	A
3. Louis-Pierre	Vert	A
4. Roger	Rose	B
5. Kara	Brun	B
6. Simon	Noir	B
7. Paulo	Noir	C
8. Agathe	Brun	C
9. Walter	Rose	C
10. Émilie	Vert	D
11. Marcel	Bleu	D
12. Julie	Rouge	D
13. Ginette	Rouge	E
14. Alexandre	Bleu	E

15. Jill	Vert	E
16. Borko	Rose	F
17. Vladimir	Brun	F
18. Tranh	Noir	F
19. Yu	Noir	G
20. Mohammed	Brun	G
21. Dohlia	Rose	G
22. Frédéric	Vert	H
23. Kateri	Bleu	H
24. Nuka	Rouge	H

Le tournoi se déroule de la façon suivante. Les trois membres du groupe du tournoi « A », Diane, Gina et Louis-Pierre, s'assoient autour d'une table sur laquelle se trouvent une feuille de questions, une feuille de réponses et des cartons numérotés selon le nombre de questions. La première lectrice ou le premier lecteur tire un carton, lit la question correspondant au numéro et donne une réponse. L'élève assis à sa gauche peut lui lancer un défi s'il croit que sa réponse est erronée. L'élève assis à sa droite pourra lui lancer un défi, si l'élève de gauche ne le fait pas. Ce dernier lit la réponse de la feuille de réponses. Si le lecteur a donné une bonne réponse, il conserve le carton, sinon il remet le carton sur la table. Si l'élève à sa gauche lui a lancé un défi et si sa réponse est bonne, il conserve le carton ; sinon, il remet un carton déjà gagné sur la table.

L'élève qui obtient le plus de bonnes réponses, donc le plus de cartons, est le vainqueur, et son groupe de base se voit attribuer 60 points (*voir le tableau Calcul des points du tournoi*). Le deuxième rapporte 40 points et le dernier, 20 points. Il y a une façon particulière de calculer les points si deux élèves obtiennent le même nombre de cartons (*voir le tableau de la page suivante*). Les groupes de base hétérogènes reçoivent une récompense selon des critères préétablis.

Rotation des élèves après chaque tournoi

Les élèves changent de table selon leur rendement au dernier tournoi. L'élève qui a remporté le plus de points à la table du tournoi est « promu » à la table des plus avancés et l'élève qui a obtenu le moins de points à la table du tournoi est « rétrogradé » à la table des moins avancés. En faisant ainsi une rotation, les élèves peuvent se mesurer à des camarades de compétence égale, ce qui augmente leur motivation.

À la fin, accordez des récompenses pour souligner le rendement des groupes. Calculez le total des points et la moyenne pour déterminer le rang de chaque groupe de base. Vous attribuez les récompenses d'après les critères suivants:

Moyenne du groupe
40 = Bon groupe
45 = Excellent groupe
50 = Groupe formidable

Calcul des points du tournoi

Tournoi à quatre joueurs

Joueurs	Aucune égalité	Égalité meilleure note	Égalité note moyenne	Égalité note basse	Triple égalité meilleure note	Triple égalité note basse	Quadruple égalité	Égalité note basse et élevée
Meilleure note	60 points	50	60	60	50	60	40	50
Moyenne élevée	40 points	50	40	40	50	30	40	50
Moyenne basse	30 points	30	40	30	50	30	40	30
Note basse	20 points	20	20	30	20	30	40	30

Tournoi à trois joueurs

Joueurs	Aucune égalité	Égalité meilleure note	Égalité note basse	Triple égalité meilleure note
Meilleure note	60 points	50	60	40
Note moyenne	40 points	50	30	40
Note basse	20 points	20	30	40

Tournoi à deux joueurs

Joueurs	Aucune égalité	Égalité
Meilleure note	60 points	40
Note basse	40 points	40

Les récompenses peuvent prendre la forme de certificats ou de récompenses coopératives (*voir le mois de novembre, 3.7*). Voici une liste de contrôles pour la mise en œuvre de cette méthode.

Liste de contrôles

Étape 1 – Enseignement

1. Présenter les objectifs de la leçon.
2. Enseigner la matière.
3. Distribuer aux élèves les premières feuilles d'exercices et vérifier leurs réponses (exercice dirigé).

Étape 2 – Étude en groupe

1. Aller voir chacun des groupes pour :
   - lui offrir une aide immédiate ;
   - enseigner de nouveau ou du nouveau ;
   - clarifier certains points et répondre aux questions ;
   - féliciter les groupes qui privilégient des valeurs de coopération.

Étape 3 – Tournoi

1. Former des tables de tournoi de trois membres.
2. Préparer pour chaque équipe un jeu de cartes numérotées, chaque carte correspondant à une question sur la feuille de jeu.
3. Circuler d'une table à l'autre pendant le tournoi pour aider, observer, clarifier et intervenir au besoin.

Étape 4 – Notation

1. Recueillir les résultats de toutes les tables pour calculer les points.
2. Utiliser les feuilles de résultats pour calculer les points des groupes.
3. Donner aux groupes les points et les récompenses le lendemain ou à la fin de la semaine.

Bien que la MTÉ obtienne du succès auprès de plusieurs enseignants, vous pouvez rencontrer des difficultés en utilisant cette méthode. Mettre trop l'accent sur la compétition peut nuire à l'apprentissage. Par ailleurs, la MTÉ peut augmenter la motivation de vos élèves lorsque le sujet est moins invitant.

7.6 Recourir à une variété de structures

À cette étape du calendrier, votre défi consiste à utiliser diverses structures à différents stades, toujours dans le but d'enseigner efficacement. Pour consolider les apprentissages, voici une structure complexe que nous vous suggérons d'utiliser.

Structure

Réseau de concepts

Démarche

1. Nommer des élèves à titre d'illustratrices ou d'illustrateurs, de vérificatrices ou de vérificateurs et d'animatrices ou d'animateurs.
2. Choisir un thème ou un sujet à étudier ou à réviser.
3. Expliquer le processus de création d'un schéma.
   - Choisir un thème et l'écrire au centre d'une grande feuille.
   - Créer des liens et écrire les idées secondaires avec un stylo-feutre.

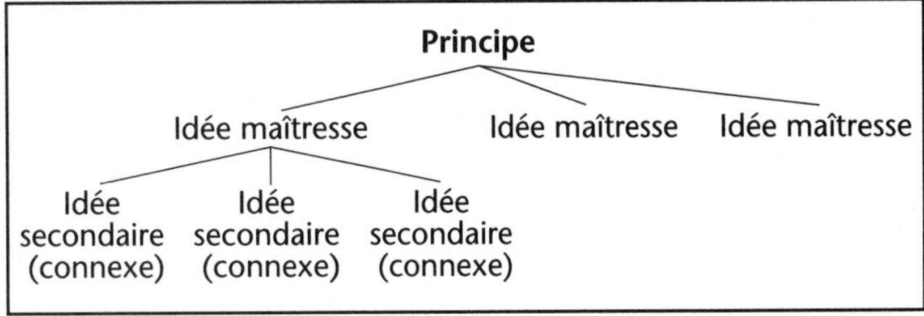

4. Réfléchir au processus d'apprentissage et au fonctionnement du groupe.

Éléments

Centre :	contient le concept principal.
Couleurs :	contribuent à l'organisation des idées.
Mots clés :	aident à faire des liens entre l'idée maîtresse et les idées secondaires.
Traits :	aident à faire des liens entre les concepts.

Rôles

Illustratrice
ou illustrateur : dessine et écrit sur la feuille du groupe.

Vérificatrice
ou vérificateur : s'assure de la présence de tous les éléments dans le schéma et de l'accord de tous les membres avant d'y inscrire les idées.

Animatrice
ou animateur : aide les membres du groupe à participer également et à respecter les consignes.

Responsabilités du groupe

1. Toutes les suggestions devraient être discutées et acceptées.
2. La réussite est possible seulement si tous les membres peuvent expliquer le réseau de concepts.
3. Chacun des membres du groupe doit signer le schéma.

Réflexion critique

1. Avons-nous respecté nos rôles ?
2. Les commentaires ont-ils été créatifs et positifs ?

Moments de réflexion

Mars **7e mois**

Ai-je eu ou ai-je pris le temps... ? ✔

- 7.1 De mettre pleins feux sur l'engagement ❑
- 7.2 De former de nouveaux groupes de base à la mi-mars à partir des critères de janvier ❑
- 7.3 D'accorder du temps pour créer l'esprit de groupe ❑
  - *Fiche d'identité* ❑
  - *Pareil, pas pareil...* ❑
  - *Unité et diversité* ❑
- 7.4 D'enseigner les habiletés coopératives de niveau moyen ❑
- 7.5 De présenter la méthode des tournois par équipe (MTÉ) pour assurer la révision ❑
- 7.6 De recourir à une variété de structures ❑
  - *Réseau de concepts* ❑

Mes notes personnelles

Avril

8e mois

Confiance

Ouverture envers les autres

Entraide

Égalité

Droit à l'erreur

Solidarité

Engagement

 Plaisir

Synergie

INTRODUCTION

Vos élèves en sont à leur troisième groupe de base. Au cours des dernières semaines, ils ont vécu des expériences de coopération pour acquérir des habiletés et des concepts complexes correspondant à leur sujet d'études. Chacun d'eux a travaillé avec au moins cinq autres membres d'un groupe de base, depuis le début de l'année. En outre, par le biais de diverses activités avec l'ensemble de la classe ou avec des groupes informels, ils ont parlé, écouté les autres camarades de la classe et résolu des problèmes en leur compagnie. La majorité de vos élèves a maintenant intégré les valeurs d'ouverture, d'entraide et du droit à l'erreur.

Si tout se déroule selon le plan, ce qui est rare, l'esprit de classe est bel et bien implanté, et vos élèves ont du plaisir à travailler les uns avec les autres. Ils se sont certes déjà amusés auparavant. Tellement que, après leurs premières activités coopératives, beaucoup d'élèves en redemandent! Ces expériences leur ont enseigné la coopération et, ce faisant, ils ont évolué tout en surmontant les conflits et les difficultés. De votre côté, vous n'êtes plus une novice dans ce domaine. En planifiant votre mois et en consultant le programme, vous pouvez maintenant vous fixer des objectifs spécifiques qui s'enseignent facilement grâce aux stratégies d'apprentissage coopératif. Ce mois-ci, nous vous suggérons d'étendre la coopération autant que possible. Poursuivez votre lecture!

8.1 Pleins feux sur le plaisir: surprenez-les à s'amuser!

«Nous avons du plaisir à apprendre ensemble», tel est notre slogan du mois d'avril pour les plus longues activités de votre groupe de base et pour les échanges spontanés d'un groupe informel affecté à diverses tâches. Demandez donc à vos élèves de penser à des moments où ils ont eu du plaisir à apprendre une habileté ou un concept nouveau et à faire part de leurs observations au reste de la classe.

8.2 Planifier des leçons à structures multiples

Jusqu'ici, vous avez appris un certain nombre de structures coopératives qui comprenaient des canevas d'activités «prêts à utiliser». Si vous en avez intégré plusieurs dans vos leçons, il est temps maintenant de planifier une leçon à structures multiples. Spencer Kagan (1996) suggère d'analyser la configuration de la leçon et de relier plusieurs structures comme s'il s'agissait d'enfiler des billes.

Voici une façon d'enseigner une leçon fondée sur les principes de l'enseignement efficace.

Une leçon abordant l'enseignement compatible avec le fonctionnement du cerveau comporte des étapes bien définies. Chacune d'elles, décrites ci-dessous, est le fruit de recherches sur la structure de l'esprit, le processus d'apprentissage et la mémoire. Le modèle de leçon que nous proposons englobe les principes d'apprentissage soulignés précédemment, dont le facteur émotionnel comme motivateur et stimulateur de l'attention, ainsi que le besoin de créer une relation avec l'élève en tant que participant actif au processus d'apprentissage.

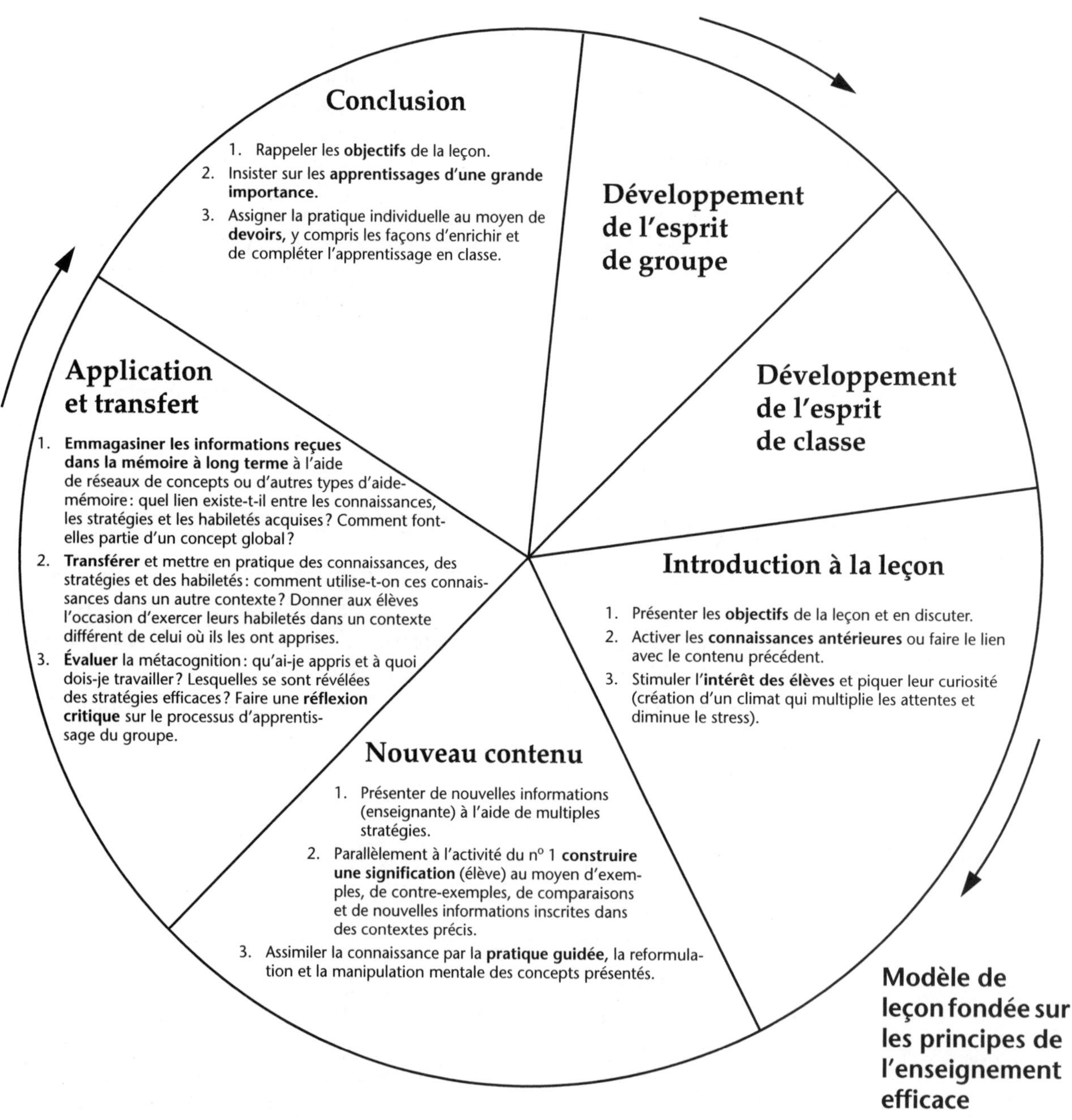

Modèle de leçon fondée sur les principes de l'enseignement efficace

L'ébauche de cette leçon ne s'applique pas nécessairement à l'apprentissage coopératif. Tout type de stratégie d'enseignement peut servir à l'intérieur d'une leçon bien définie, dont évidemment l'apprentissage coopératif. L'enseignante y ayant recours doit incorporer les éléments visant le développement de l'esprit de classe et de groupe chaque fois que la situation l'exige.

Que vous choisissiez les regroupements d'apprentissage coopératif ou des structures connues et bien définies, vous pouvez procéder à ce choix à toutes les étapes de votre leçon, ou à peu près. Examinons les structures connues qui peuvent être introduites à diverses étapes d'une leçon.

Parties de la leçon et structures possibles	
I Le développement d'esprit de classe	
	Coins, En file, Casse-tête de groupe, Trouve quelqu'un qui, Chasse à la personne, Cercles concentriques.
II Le développement d'esprit de groupe	
	Jeu de dé, Entrevue de groupe, Remue-méninges, Vérité ou mensonge, Armoiries, Grille du groupe de base.
III Introduction	
• Choix des objectifs	Table ronde orale, Graffitis.
• Connaissances antérieures	Cercles concentriques, Coins.
• Intérêts des élèves	Entrevue en trois étapes, Jeu de dé, 1-2-3 (Réfléchir – Partager – Discuter), Mêler – Jumeler – Questionner, Vérité ou mensonge, Trouve quelqu'un qui, etc.
IV Nouveau contenu	
• Nouvelles informations • Construction de la signification	Lecture à deux, Casse-tête d'expertise, Têtes numérotées ensemble, Projet de groupe.
• Pratique guidée	Vérification par « paires », Têtes numérotées ensemble, Feuilles de questions ou Discussion d'un groupe informel ou d'un groupe de base, Projet de groupe représentatif.

V Application et transfert	
• Emmagasinage dans la mémoire • Transfert	Graffitis, Mêler et jumeler, Têtes numérotées ensemble, En file, Schématisation en groupes de base ou en groupes informels.
• Évaluation et réflexion critique	Réflexion critique, « Coup de fouet », Table ronde.
VI Conclusion	
1. Rappel des objectifs 2. Apprentissages d'une grande importance	Possibilité de recourir aux regroupements coopératifs pour les devoirs ou l'étude.
3. Devoirs	*Note : besoin de structurer la responsabilité individuelle.*

Ces suggestions sur la manière d'utiliser les structures coopératives s'avéreront utiles à votre enseignement. En les mettant en pratique, vous leur découvrirez d'autres possibilités. Vous pourrez d'abord modifier les structures existantes pour répondre à vos besoins ; puis, vous créerez vos propres structures. Dans ce cas, il serait souhaitable de leur donner un nom pour que vos élèves puissent les reconnaître facilement.

8.3 Utiliser une leçon coopérative à structures multiples

Quand vous aurez apprivoisé l'apprentissage coopératif, vous voudrez incorporer un minimum de deux structures à votre leçon, peut-être une dans l'introduction et une autre dans l'application et le transfert. Avec l'expérience, vous y intégrerez naturellement le travail de groupe organisé pour promouvoir la coopération pendant votre leçon sans même faire un grand effort. Voici l'exemple d'une leçon à structures multiples qui se déroule « naturellement » d'une structure à l'autre. Veuillez noter que nous ne suggérons pas l'utilisation exclusive de ce type de leçon.

Exemple d'une leçon coopérative à structures multiples destinée à une classe du secondaire

Niveaux : *secondaire 3 et 4 (peut être modifié selon les niveaux)*
Sujet : *anglais, langue seconde*
Regroupements : *informel et associé*

Démarche

Matériel nécessaire

- Schémas du corps humain comprenant 45 parties du corps à identifier;
- Remettre un schéma à chaque élève;
- Faire 10 agrandissements 11 po × 17 po du schéma accompagné des réponses.

Objectif 1 Identifier les parties du corps humain
RÉFLÉCHIR, PARTAGER À DEUX, DISCUTER À QUATRE

- Distribuer les schémas aux élèves.
- Allouer 90 secondes aux élèves pour écrire les noms des parties.
- Une fois le temps écoulé, demander aux élèves de compter le nombre de mots que chacun a trouvé et d'écrire ce nombre au bas de la feuille.
- Informer les élèves qu'au signal ils se grouperont deux par deux, soit avec un voisin : rangées 1 et 2 ensemble, 3 et 4 ensemble, 5 et 6 ensemble.
- Accorder deux minutes pour échanger les mots et vérifier leur exactitude.
- Une fois le temps écoulé, chaque élève compte le nombre de mots qu'il a au total et l'inscrit au bas de la feuille.
- Annoncer aux élèves qu'au signal ils se grefferont au groupe voisin. Accorder quatre minutes pour échanger les mots.
- Les élèves comparent les mots trouvés et écrivent le nouveau total.
- Accorder cinq minutes aux groupes de quatre pour inscrire les mots manquants, à l'aide d'un dictionnaire, au besoin.
- Un représentant du groupe vient chercher le corrigé (un par groupe de quatre).

Objectif 2 Apprendre les verbes associés aux parties du corps
REMUE-MÉNINGES COOPÉRATIF EN GROUPE DE DEUX

- Demander aux élèves de traduire les cinq sens en anglais (goût, odorat, ouïe, toucher et vue) et d'écrire leur traduction au tableau, à l'horizontale.
- En groupes informels de deux, les élèves font un remue-méninges d'une minute, puis trouvent les verbes correspondant à chacun des sens.
- Cinq élèves écrivent au tableau les verbes qu'ont trouvés leur groupe, un sens par élève.

- Les autres élèves cochent sur leur feuille les verbes inscrits au tableau.
- Cinq autres élèves écrivent au tableau les verbes qui n'y figurent pas.
- À mesure que la liste s'allonge, vérifier les réponses.

Objectif 3 Faire une production écrite libre (exercice individuel)
Cette étape sert de transition à la production écrite.

- Chaque élève écrit sur une feuille le sens qui lui semble le plus important, celui sans lequel il ne pourrait vivre et il justifie pourquoi.
- Inviter les élèves à utiliser les mots inscrits au tableau.
- Accorder aux élèves un maximum de 10 minutes pour répondre à ces questions.

Objectif 4 Faire une production écrite en groupes de deux

- Les élèves doivent apporter un ou plusieurs changements au corps humain.
- Les changements devront constituer des améliorations sur les plans de la performance ou de la condition humaine.
- Les améliorations peuvent être d'ordre émotionnel, intellectuel, comportemental ou physique.
- Le texte, qui peut être humoristique, sérieux ou symbolique, doit contenir une vingtaine de phrases, et le vocabulaire doit être varié.
- Un dessin doit accompagner le texte (le dessin doit refléter le contenu du texte).
- Le travail est fait sur une feuille 11 po × 17 po.
- Le dessin constituera un atout supplémentaire lors de la présentation en groupe.
- Pour la rédaction du texte et la conception du dessin, les idées doivent venir des deux élèves.
- Les deux élèves doivent partager le travail : ils écrivent tous les deux le texte et participent au dessin.

Objectif 5 Présenter des productions en groupes associés

- Former quatre groupes associés et écrire sur des feuilles les noms des élèves qui en feront partie. Coller ces feuilles aux quatre coins de la classe.
- Nommer une responsable ou un responsable du matériel dans chacun des groupes.
- La responsable ou le responsable du matériel donne à chaque élève trois fiches de prise de notes. Expliquer le déroulement de l'activité de regroupement.
- Chaque groupe présente sa production aux trois autres groupes de son regroupement ; pendant la présentation, ou à la suite de celle-ci, les six autres élèves remplissent chacun leur fiche (*voir l'encadré qui suit*).

- Les élèves peuvent poser des questions pour remplir leurs fiches.

Comment améliorer le corps humain

Ce que la présentation vous a appris

Noms des membres du groupe ____________________

____

____

Quel est le titre de la production du groupe? ____________

____

Donnez un point fort de leur production.

____

Donnez un point faible de leur production.

____

Trouvez un adjectif qui décrit bien leur production.

____

Vos signatures ____________ ____________

____________ ____________

____________ ____________

Cette activité a été créée par Nicole Bachant, enseignante.

8.4 Planifier et enseigner une leçon à structures multiples

Les toutes premières fois que vous planifierez une leçon coopérative, ou toute autre leçon, et que vous vous demanderez si vous pouvez y inclure une structure coopérative, il vous sera utile de vous servir d'un plan de travail. Vous pouvez recourir au plan de la page suivante simplement pour vérifier votre leçon, avant de rencontrer vos élèves (« Ai-je pensé à tout? »). Ce plan peut aussi vous aider à prévoir ce qui peut arriver en classe, à réviser vos attentes ou les consignes à donner à vos élèves.

Vous pouvez utiliser la feuille de planification d'une leçon à structures multiples (*voir l'annexe 13*): celle-ci vous aidera à préparer une leçon composée de plusieurs éléments coopératifs (*voir l'encadré Parties de la leçon et structures possibles, à la page 125*).

Feuille de planification d'une leçon à structures multiples

Planification d'une leçon à structures multiples

Temps	Phase de l'apprentissage	Structure	Intelligence ciblée	Contenu	Ressources matérielles	Commentaires

Feuille reproductible à l'annexe 13

Enseigner la leçon à structures multiples

L'ordre des trois premiers points dépend de l'activité et du niveau de la classe. Vous pourriez choisir d'enseigner dans l'ordre 3-2-1, le tout dépendant de vos objectifs.

1. Faites part de vos objectifs et de vos attentes aux élèves.
2. Expliquez les étapes de l'activité (ou de la structure) coopérative, les critères d'évaluation, s'il y en a, et l'interdépendance des membres du groupe.
3. Activez les connaissances antérieures, situez le contexte, enseignez le nouveau contenu, tenez compte de la construction du savoir.
4. Groupez les élèves, si ce n'est déjà fait.
5. Enseignez l'habileté coopérative (souvenez-vous de la notion « créer le besoin »).
6. Répétez les étapes de l'activité ou de la structure, au besoin, et rappelez à vos élèves leurs rôles, leurs tâches et la limite de temps.
7. Distribuez le matériel aux membres des groupes.
8. Commencez !
9. Observez vos élèves et intervenez auprès d'eux au besoin. Servez-vous des outils d'observation sans vous ingérer dans le processus du travail. Quand vous observez un coin de la classe, essayez de « deviner » où en sont les autres, habileté que vous possédez probablement déjà, puisque vous êtes enseignante.

10. Soyez consciente du temps.
11. Vérifiez le travail de chaque élève en ayant recours aux méthodes suivantes : partage et vérification des informations avec tous les membres de la classe, rapports de groupe, présentation de votre synthèse.
12. Accordez une période de réflexion critique et distribuez des feuilles de réflexion critique, s'il y a lieu.
13. Animez une discussion traitant des problèmes et des solutions ou sur les réactions suscitées à la suite de cette activité. Ramassez les travaux et les feuilles de réflexion critique, le cas échéant.

Réfléchir sur votre façon d'enseigner

1. Si vous disposez d'une période libre, notez immédiatement vos idées.
   « Joe et Johanne ne doivent pas faire partie du même groupe. »
   « J'ai oublié de dire aux élèves comment partager le matériel. »
   « Pratiquer davantage l'écoute active. »
   « Continuer à utiliser cette structure ! »
2. Lisez les feuilles de réflexion critique de vos élèves, s'il y en a, et planifiez votre prochaine leçon d'habiletés coopératives. Tirez des conclusions quant aux besoins particuliers de vos groupes :
   « Le groupe n° 3 a particulièrement besoin d'une activité favorisant l'esprit de groupe. »
   « Essayer une activité pour créer l'esprit de classe lundi, en début de leçon. »
   « Le groupe n° 4 est préoccupé par les élèves à la traîne. Insister sur la responsabilité individuelle et expliquer cette notion. »
3. Évaluez l'ampleur de la tâche par rapport au travail scolaire.
4. Soyez fière de vous. Parlez-en à un pair.
   Même si vous avez échoué, vous avez appris quelque chose – n'oubliez pas, le droit à l'erreur est une valeur de la coopération. Vous avez le même droit que vos élèves.

8.5 Utiliser dans plus de 50 % des cas les activités coopératives pour l'activation des connaissances antérieures, la mémorisation, la compréhension et la révision

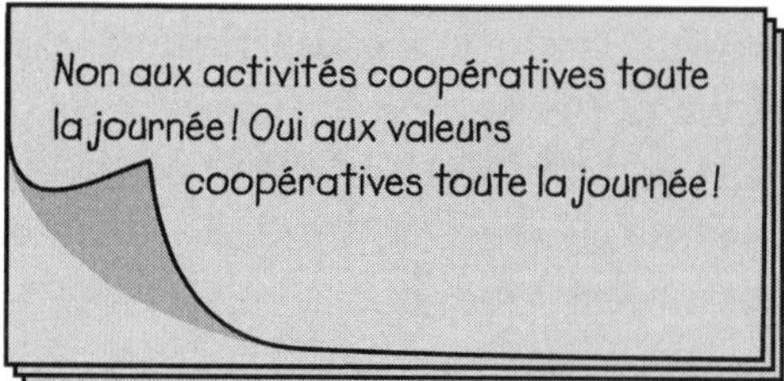

Les enseignants qui ont reçu une formation en apprentissage coopératif posent souvent la question suivante : « Notre but est-il d'utiliser cette approche en tout temps ? La réponse est non. Il existe plusieurs excellentes approches pédagogiques. Toutefois, comme une bonne méthode d'enseignement doit tenir compte des différents styles d'apprentissage ou des diverses intelligences ainsi que d'une multitude d'objectifs découlant de nos programmes, nous devons utiliser une grande variété de méthodes. Non aux activités coopératives toute la journée ! Oui aux valeurs coopératives toute la journée ! Que vous utilisiez l'apprentissage coopératif pour atteindre vos objectifs scolaires, l'esprit de coopération devrait toujours régner dans votre classe. Nous vous suggérons de donner de bons exemples de comportements sociaux, de les renforcer et d'éliminer la concurrence malsaine entre vos élèves. Au besoin, vous devez régler les problèmes de rejet, souligner l'importance de l'empathie et privilégier la confiance au sein des groupes coopératifs et de la classe.

> **Activation des connaissances antérieures**
>
> « Comme je vous l'ai déjà dit, au cours des deux prochaines semaines, nous étudierons le système respiratoire. J'aimerais que vous réfléchissiez à votre façon de respirer et que vous imaginiez l'air qui circule dans vos poumons. *Voyez son parcours* et la fonction de la respiration dans le maintien de la vie. Quand vous serez prêts, partagez vos hypothèses à l'aide d'une table ronde. »

En consultant votre plan, vous verrez quelles sont les périodes d'enseignement auxquelles la coopération peut se prêter. Nous croyons que les tâches les plus simples, qui n'exigent pas de nouvelles connaissances, pourraient avoir une structure coopérative – **au moins 50 % d'entre elles.** Quand vous commencez votre leçon en activant les connaissances antérieures de vos élèves, posez vos questions aux groupes et mobilisez instantanément tous vos élèves.

> **Révision**
>
> « Chaque groupe se voit remettre une feuille et quatre stylos-feutres. Divisez votre feuille en deux et écrivez les deux titres suivants en haut de la feuille : *Concepts que nous pouvons expliquer* et *Concepts que nous connaissons* (sans pouvoir les expliquer). En groupe, écrivez au moins cinq concepts par colonne. Révisez les explications relatives aux concepts de gauche. Je vais demander à chacun des représentants de nous donner quelques exemples dans 10 minutes. »

Quand vous faites de la révision, utilisez les mêmes méthodes pour remplacer les feuilles de révision individuelles ou les questions à l'ensemble de la classe. En demandant aux groupes de déterminer leurs faiblesses, vous pourrez privilégier le tutorat par les pairs au sein des groupes et à réserver vos propres explications pour les concepts généralement mal compris.

Quand nous enseignons une matière nouvelle, nous donnons à nos élèves des occasions de manipuler de nouvelles connaissances pour les comprendre. Cette partie de la leçon, appelée « phase d'intégration », peut être transformée en pratique de groupe. L'apprentissage individuel, qui s'adresse à l'intelligence intrapersonnelle de l'apprenant, suivra plus tard.

Compréhension

« Nous avons parlé des adjectifs qualificatifs. Voici un court texte qui en contient quelques-uns. Lisez-le en groupe et encerclez les adjectifs qualificatifs. L'élève qui les encercle ne peut le faire sans l'accord préalable de tous les membres de son groupe. »

Au premier contact des nouvelles connaissances, les élèves ne peuvent transférer ces dernières dans leur mémoire à long terme que s'ils ont pu les verbaliser, entendre quelqu'un en parler et en comprendre le sens.

8.6 Utiliser régulièrement le travail en coopération pour l'exploration des nouvelles matières, l'analyse, la synthèse et l'évaluation des concepts

À mesure que vous remplacerez la plupart des tâches simples exécutées individuellement par des activités coopératives, vous favorisez chez vos élèves un niveau de pensée supérieur en leur permettant de transposer les connaissances ainsi acquises dans d'autres contextes. Que vous variiez vos stratégies d'enseignement en utilisant la pédagogie du projet ou les activités en atelier, vous voudrez certainement tirer parti des habiletés coopératives que vos élèves ont acquises au cours des sept derniers mois. En outre, ils sont maintenant prêts à entreprendre des projets coopératifs, à aborder de nouveaux concepts et à élever leur compréhension à un niveau supérieur par l'analyse, la synthèse et l'évaluation (*voir l'article 3.5 du mois de novembre*).

À cette étape de l'année, vous pouvez recourir à des groupes reconstitués pour entreprendre une recherche à l'aide de groupes d'experts. Il pourrait s'agir d'un projet de synthèse ou d'un exposé devant la classe, ce qui serait le point culminant de l'activité.

Les groupes reconstitués permettent aux élèves de considérer diverses perspectives et de nouveaux points de vue puisqu'ils participeront à une étude approfondie d'un sujet avec des « experts » en la matière. Ces groupes permettent aux élèves d'avoir rapidement accès à une banque d'informations plus vaste.

À la première étape, il faut s'assurer que les élèves sont placés dans des groupes de base équilibrés. Cet équilibre est relatif aux aptitudes démontrées par les élèves par rapport à la matière enseignée.

Ensuite, vous attribuerez un thème à étudier à chaque membre du groupe. Les élèves peuvent aussi discuter et choisir les thèmes à l'étude. Ceux qui ont le même thème se regroupent. Il faut vous assurer que ces groupes d'experts ne comptent pas plus de quatre élèves. À la deuxième étape, les experts étudient le thème et se préparent à enseigner cette partie de la matière aux membres de leur groupe de base.

Chaque élève devient un expert sur un sujet donné et possède des informations importantes qu'il partage avec ses camarades. La coopération et la confiance mutuelle constituent alors des atouts précieux, sinon indispensables à la réussite scolaire. Voici une description sommaire de ce regroupement.

Étape 1
Diviser la classe en groupes de base hétérogènes. Chaque membre choisit, ou se voit attribuer, une partie de la matière à étudier. À cette étape, le groupe de base peut définir ses attentes par rapport aux compétences de chacun des élèves experts.
Étape 2
Les élèves forment des groupes d'experts. Les membres de chaque groupe travaillent ensemble pour acquérir des informations sur leur sujet, bien les comprendre et en maîtriser le contenu.
Étape 3
Les élèves retournent dans leur groupe de base hétérogène, où chacun fait part aux autres membres de ce qu'il a appris dans son groupe d'experts.
Étape 4
Préparer un examen ou donner un devoir aux élèves pour évaluer leurs connaissances de la matière. Il est possible de les aider à juger à quel point leurs groupes ont bien travaillé ensemble et de les amener à réfléchir à ce qu'ils pourraient faire d'une manière différente la prochaine fois (réflexion critique).

Exemple d'une leçon à structures multiples explorant les connaissances nouvellement acquises

Mathématiques :
5e et 6e années
Catégorisation des nombres[1]
Durée : *deux périodes de 50 minutes*

1. Les élèves trouvent les catégories de nombres (premier, composé). **Discussion à deux.**
   - Diviser le tableau en deux. *« Je vais maintenant écrire quelques nombres à gauche et à droite. Vous devrez en donner la raison. »*
   - Écrire un nombre de trois chiffres à gauche et un nombre de un ou deux chiffres à droite. *« Réfléchissez à la différence entre ces nombres et discutez-en avec votre partenaire. »*
     « Je veux écrire le nombre 15. Consultez votre partenaire pour déterminer si je dois l'écrire à gauche ou à droite. Que chaque élève pointe le côté du tableau où je dois l'inscrire. »
   - Poursuivre l'activité en inscrivant un nombre à la fois, jusqu'à ce que tous les élèves aient trouvé les catégories, puis vérifier leur réponses.
2. Les élèves tentent de découvrir toutes les catégories.

Les **coins.**

- Préparer les titres des coins : PREMIER, COMPOSÉ, ≤ 20 ; 21 ≥. Écrire les nombres de 1 à 40 sur des morceaux de papier et les distribuer au hasard.

Partie 1

« Les élèves qui ont des nombres premiers vont dans le coin Premier ; ceux qui ont des nombres composés vont dans le coin Composé. »
« Placez-vous deux par deux et déterminez pourquoi chaque camarade se retrouve dans tel coin. Comparez votre réponse avec celle des deux élèves à côté de vous. »

- Vérifier les réponses.

Partie 2

« Les élèves qui ont un chiffre égal ou plus petit que 20 vont dans un coin ; ceux dont le chiffre est égal ou supérieur à 21 vont dans un autre coin. Placez-vous deux par deux et déterminer pourquoi chaque camarade se retrouve dans tel coin. Comparez votre réponse avec celle des deux autres élèves. »

- Vérifier les réponses.

Partie 3

« Avec les mêmes chiffres, dirigez-vous vers l'un des deux coins suivants : Composé ou ≤ 20. » Résultat : quelques élèves se retrouvent au milieu de la classe.
« À deux, déterminez pourquoi certains de vos camarades se retrouvent au milieu de la classe. Essayez de trouver une catégorie pour que chacun d'eux puisse se retrouver dans un coin. »

- Vérifier les réponses.

1. *ANDRINI, B. Cooperative Learning and Mathematics. A Multi Structural Approach, Kagan Cooperative Learning, San Juan Capistrano, CA, 1993.*

3. Les élèves trient les nombres par catégories. **Table ronde.**
   - Diviser les élèves en groupes de quatre au hasard ou selon des critères prédéterminés. Les membres du groupe choisissent une lettre : A, B, C, D.
   - Chaque groupe se voit remettre une feuille de nombres, une grille et une paire de ciseaux.
   La feuille de nombres comprend les chiffres suivants : 18, 35, 42, 45, 46, 47, 51, 54, 58, 70, 75, 82, 85, 87, 91 et 96. Le contenu de la grille se présente comme suit.

Divisible par 3	Non divisible par 3
Pair	**Impair**

« L'élève D de chaque groupe découpe les nombres et les place face cachée au milieu de la table. L'élève A les mélange, choisit un nombre et l'insère dans la section appropriée de la grille. Les autres membres du groupe en vérifient l'exactitude. »

- Poursuivre la table ronde jusqu'à ce qu'il n'y ait plus de nombre.
- Répéter l'exercice avec d'autres catégories telles que :

Premier	Composé
Pair	**Impair**

4. **Têtes numérotées ensemble.**
   - Écrire les nombres suivants au tableau : 0, 5, 12, 21, 30, 42, 43, 58, 62, 66, 71, 75, 84 et 90.
   Les élèves appelés placent les nombres dans un diagramme de Venn au tableau.

Exemple d'un diagramme de Venn

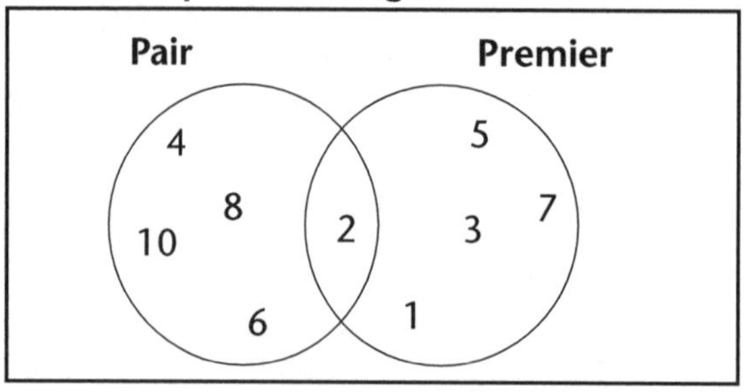

Vous avez probablement remarqué que cette leçon ne correspond pas exactement au plan de la leçon présenté dans « Parties de la leçon et structures possibles » (*voir p. 125*). L'enseignante qui a planifié et enseigné cette leçon n'avait pas de nouvelles connaissances à enseigner ; c'est pourquoi elle a plutôt mis au point des stratégies et qu'elle a choisi de les enseigner d'une façon exploratoire plutôt que de donner des modèles ou des explications.

Chacun de vous appliquera d'une façon particulière les principes décrits dans cet ouvrage, mettant à profit sa créativité, qui est probablement l'un des plus beaux aspects du métier d'enseignante.

Moments de réflexion

Avril **8e mois**

Ai-je eu ou ai-je pris le temps... ? ✔

8.1 De mettre pleins feux sur le plaisir : surprenez-les à s'amuser ! ❑

8.2 De planifier des leçons à structures multiples ❑

8.3 D'utiliser une leçon coopérative à structures multiples ❑
Exemple d'une leçon coopérative à structures multiples destinée à une classe du secondaire ❑

8.4 De planifier et d'enseigner une leçon à structures multiples ❑

8.5 D'utiliser dans plus de 50 % des cas les activités coopératives pour l'activation des connaissances antérieures, la mémorisation, la compréhension et la révision ❑

8.6 D'utiliser régulièrement le travail en coopération pour l'exploration des nouvelles matières, l'analyse, la synthèse et l'évaluation des concepts ❑
Exemple d'une leçon à structures multiples explorant les connaissances nouvellement acquises ❑

Mes notes personnelles

Mai et juin

9e et 10e mois

Confiance

Ouverture envers les autres

Entraide

Égalité

Droit à l'erreur

Solidarité

Engagement

Plaisir

 Synergie

INTRODUCTION

Au mois d'avril, vous avez étendu l'apprentissage coopératif notamment au plan cognitif, un tour de force. Il vous reste six à sept semaines de travail, dont plusieurs seront consacrées à la révision et à l'évaluation sommative.

Votre niveau d'enseignement déterminera la somme d'apprentissages que vous pouvez structurer grâce à la coopération, d'ici la fin de l'année scolaire. Même si vos élèves ne consacrent pas beaucoup de temps à explorer des territoires inconnus dans leur groupe de base ou à faire de la recherche en groupes d'experts, vous avez acquis une bonne maîtrise en variant vos stratégies d'enseignement chaque fois que c'était possible. Vous recueillerez donc les fruits de votre travail.

Les mois de mai et juin sont tout indiqués pour souligner les connaissances acquises et l'esprit de coopération. Profitez-en pour défier vos élèves en leur demandant de pratiquer un niveau supérieur d'habiletés coopératives. Faites pleins feux sur la synergie !

9.1 Pleins feux sur la synergie

La synergie ne s'enseigne pas. Toutefois, vous devez la comprendre et la sentir pour la susciter plus fréquemment. Elle a pour effet d'augmenter l'énergie et l'estime de soi. Sans même s'en rendre compte, vos élèves y ont déjà goûté durant leurs activités coopératives.

Cours d'enseignement moral. Trois élèves discutent de la signification des préjugés. « C'est quand on n'aime pas quelqu'un parce qu'il est différent. – Tu veux dire que, parce que je suis Chinois, tu ne veux pas travailler avec moi ? – Tu sais que ce n'est pas vrai, mais certaines personnes sont victimes de préjugés, peu importe la couleur de leur peau. – Ça ne me fait rien la couleur, mais mes voisins ont d'énormes difficultés parce qu'ils parlent une autre langue. Je crois qu'ils sont Ukrainiens ou Hongrois. – Quel genre de difficultés ? – Les gens de l'autre côté de la rue ont appelé la police parce qu'ils parlaient fort. Le type a essayé de leur expliquer, mais ils ne se sont pas compris. – Ouais. Je les ai entendus se disputer devant leur maison, et la dame a dit : "Nous ne voulons pas de gens comme vous dans le voisinage." – Alors, nous n'avons pas de préjugés. – Tu as raison, mais avec qui nous tenons-nous ? » Silence. Les élèves se regardent.

Eurêka ! Vos élèves ont les joues rouges, ils sont heureux et se félicitent. Voici quelques exemples où la synergie se manifeste : dans le cours de mathématiques lorsque vos élèves viennent d'inventer une stratégie pour résoudre un problème ; dans le cours de langue lorsqu'ils ont composé un rap sur leur dernier examen ; dans le cours de technologie lorsqu'ils ont présenté une lampe en bois flotté ; lorsque chaque élève a expliqué les principes d'un interrupteur électrique qui crée un effet particulier.

Idées pour un remue-méninges synergique

Couleurs
Lettres de l'alphabet
Sports
Fruits
Produits laitiers
Multiples de 3
Nombres premiers
Adjectifs, adverbes, verbes, etc.
Ébauche d'une histoire
Description d'un personnage
Modes de transport
Offres d'emploi dans la région
Choix de carrières après le secondaire
Récompenses soulignant la coopération en classe
Thèmes d'une exposition scientifique
Articles de la *Charte québécoise des droits et libertés de la personne*
Fonctions d'une cellule
Os du squelette humain

La synergie n'est pas uniquement l'effet coordonné de toutes les énergies concertées. Elle est aussi un heureux mélange de toutes les valeurs de la coopération: confiance, ouverture envers les autres, égalité, entraide, droit à l'erreur, solidarité, engagement et plaisir. Vous ne pouvez pas enseigner la synergie, mais vous pouvez créer les conditions nécessaires pour l'engendrer.

Structure

Remue-méninges synergique

Démarche

Le remue-méninges, peu importe le sujet, se fait en table ronde. Pour ce faire, ayez recours aux principes suivants.

- La rapidité : générer des idées rapidement stimule la créativité ;
- Le soutien : la participation des camarades incite chaque membre à fournir un effort et à proscrire la critique ;
- La synergie : « Ton idée me donne une autre idée que je n'aurais pas eue si tu ne l'avais pas exposée. »

9.2 Enseigner les habiletés de coopération de niveau avancé

En mars, vous avez commencé à enseigner les habiletés coopératives de niveau moyen. Si vos élèves les ont mises en pratique régulièrement, ils sont probablement prêts à relever de nouveaux défis. Lisez l'encadré de la page suivante et encerclez-y les habiletés que vos élèves mettent peu en pratique. Puis, quand ils arrivent en classe, demandez-leur de faire le même exercice. Pour ce faire, remettez un exemplaire de l'annexe 14 à chacun des groupes. Demandez-leur de trouver des situations où ils ont pu observer ces habiletés et de

Habiletés interpersonnelles et cognitives de niveau avancé

- Vérifier l'existence d'un consensus.
- Jouer le rôle de médiatrice ou de médiateur.
- Résumer ce qui vient d'être lu ou discuté.
- Corriger les propos d'un autre élève au besoin.
- Étoffer, faire des liens entre la matière et d'autres notions.
- Donner des stratégies de mémorisation.
- Critiquer les idées et non ses auteurs.
- Demander à un membre de justifier sa réponse ou sa conclusion.
- Intégrer un certain nombre d'idées différentes dans un seul et même point de vue.

classer par ordre d'importance celles qui sont mises en pratique dans leur groupe de base.

Vous pouvez maintenant adopter une des deux approches suivantes.

A. Approche de l'ensemble de la classe

1. La classe parvient à un consensus sur l'importance des habiletés et de leur ordre d'acquisition.
2. Structurer des activités coopératives en tenant compte des habiletés prévues. La plupart d'entre elles se dérouleront à l'aide des groupes de base, mais certaines autres à l'aide des groupes reconstitués, des groupes représentatifs ou informels. Faire des observations et tenter de recueillir quelques informations dans chacun des groupes.
3. Organiser une réflexion critique individuelle ou une réflexion critique en groupe sur la mise en pratique de ces habiletés.
4. Fixer de nouveaux objectifs.

B. Approche des groupes de base

1. Demander aux groupes de définir eux-mêmes les habiletés prioritaires. Certaines habiletés peuvent être perçues comme peu importantes; ne pas insister pour toutes les inclure. Les groupes remplissent chacun le contrat de groupe (*voir l'annexe 15*) touchant les habiletés à mettre en pratique. Vérifier les contrats et noter les habiletés convoitées.
2. Structurer une activité coopérative pour qu'elle permette aux groupes la mise en pratique des habiletés à privilégier. La plupart des projets des groupes de base, dont la discussion et la présentation de différents points de vue, conviennent à la mise en pratique des habiletés coopératives de niveau supérieur. Faire des observations rigoureuses à un groupe en particulier durant quelques minutes pour passer ensuite au suivant.
3. Demander aux groupes de base de relire leur contrat durant la période de réflexion.
4. Les groupes partagent leurs observations avec le reste de la classe; ils évoquent alors les habiletés particulières observées dans les groupes.

5. Structurer une autre activité coopérative à l'aide des groupes de base et utiliser la marche à suivre précédente.

Contrat de groupe

Groupe: ______________________________

Date: ______________

Nous avons convenu de mettre en pratique l'habileté coopérative suivante:

____

Signatures: ______________ ______________

______________ ______________

Période de réflexion

Oui, nous avons atteint notre objectif grâce aux comportements suivants:

____

____

____

Non, nous n'avons pas atteint notre objectif. Voici des exemples de comportements souhaitables.

____

____

____

Nous convenons de travailler à ______________ lors de la prochaine activité de groupe.

Signatures: ______________ ______________

______________ ______________

Controverse créative

La controverse créative a été mise au point par des chercheurs américains (Johnson, Johnson et Holubec, 1997) et celle-ci privilégie des habiletés coopératives de niveau supérieur comme la reconnaissance de divers points de vue, la résolution des conflits, la négociation, le consensus, etc.

Il est difficile d'enseigner ces habiletés, mais vous pouvez les greffer aux objectifs inhérents à plusieurs domaines: sciences sociales, littérature et enseignement moral. Les membres d'un groupe de controverse créative étudient une question, prennent position et la défendent. Par la suite, ils doivent changer de camp et se surpasser en préparant des arguments en faveur de la partie adverse.

Voici les étapes d'une controverse créative.

1. Choisir un sujet controversé, par exemple la coupe du bois en Colombie-Britannique vue par des environnementalistes, un dépositaire de bois de sciage et un conseil de bande autochtone.

Insister sur l'objectif coopératif: critiquer les idées, non ses auteurs. Les journaux constituent une excellente source d'information pour se documenter dans de tels cas.

2. Grouper les élèves selon le nombre de positions à défendre. S'il y a deux points de vue, former deux groupes de deux élèves; s'il y a trois ou quatre points de vue, former des groupes de trois ou quatre élèves respectivement.
3. Expliquer les buts de l'activité: susciter une discussion fondée sur le développement des arguments que fournit la documentation; réaliser la production d'un rapport unique.
4. Communiquer les critères d'évaluation: un rapport unique, une note individuelle pour l'exploitation exhaustive et la profondeur des arguments.
5. Les élèves étudient la documentation et les arguments défendant leur position respective. Si le litige n'engage que deux parties, deux membres de chaque groupe travaillent ensemble. S'il y a trois ou quatre parties, formez des groupes d'experts à partir de membres de différents groupes de base qui travailleront ensemble à cette étape.
6. Les élèves s'engagent dans la controverse en présentant leurs arguments à l'intérieur du groupe, alors que les autres mettent leur position en doute en cherchant un sens plus profond.
7. Les membres du groupe inversent les rôles ou font une rotation, et reprennent la controverse.
8. Grâce à l'évaluation des arguments du groupe et à la discussion, les élèves parviennent maintenant à un consensus et adoptent un point de vue unique. Le groupe rédige un rapport présentant des arguments novateurs à l'appui de leur thèse.

Voici d'autres sujets possibles: David et Goliath (deux points de vue très clairs, bien définis), les droits des victimes comparativement à ceux des accusés, les droits des fumeurs et des non-fumeurs, *Le Petit Prince* (la rose, le renard, le serpent et le Petit Prince). Voyons le point de vue de deux des personnages de l'histoire très connue de *Jack et le haricot magique*.

Le point de vue de Jack : je suis un héros !

Je m'appelle Jack. J'habite avec ma mère aux abords de la ville. Mon père est mort et ma mère et moi étions très pauvres. Nous n'avions, pour toute possession, que notre vache Berthe. Un jour, pour assurer notre subsistance, il fut décidé de vendre Berthe. J'étais tellement fier que ma mère me confie cette responsabilité. Au marché, j'ai rencontré un viel homme qui m'a convaincu de vendre Berthe en échange de cinq graines de haricot magiques ; elles devaient pousser si haut qu'on aurait assez de haricots pour le restant de nos jours. J'étais au septième ciel ! De la nourriture en abondance pour toujours ! Nous n'aurions jamais plus faim ! Mais quand j'ai montré les graines à ma mère, elle m'a dit qu'on s'était joué de moi et que nous étions condamnés à mourir de faim. Elle a lancé les graines par la fenêtre et m'a envoyé me coucher. J'étais rongé de regrets. Il fallait absolument que je trouve de l'argent pour faire vivre ma mère. Je me suis endormi en pleurant. Le lendemain matin à mon réveil, j'ai vu la tige de haricot monter jusqu'aux nuages. J'y ai grimpé pour chercher des cosses. Tout en haut, je me suis retrouvé dans un pays magique habité par un terrible géant. Les géants sont de méchantes créatures qui aiment manger les garçons comme moi, alors je me suis caché jusqu'à ce qu'il s'endorme. Ensuite, je lui ai pris sa poule et j'ai redescendu la tige de haricot à toute vitesse. Quelle magnifique surprise nous attendait ! La poule pondait des œufs en or. Ma mère et moi ne manquerons plus de rien. Ma mère est tellement fière de moi et tellement heureuse ! Je suis son héros. Plusieurs de mes amis, toutefois, disent que c'est de la chance. Je n'arrête pas de penser à la harpe en or du géant. Nul doute que je serais un héros si je mettais la main sur cette harpe ! Et si j'en profitais pour tuer le géant, alors même la princesse serait impressionnée !

Le point de vue du géant : on m'a volé !

Je m'appelle Ralph. J'ai toujours essayé d'être gentil et aimable, mais personne ne m'aime. Tout le monde pense que je suis un monstre et se moque de moi à cause de ma grande taille. Je ne vois pas très bien, mais mon odorat est excellent. Quand je sens quelque chose, je pousse souvent des exclamations bien à moi. Mon autre problème, c'est que je souffre d'insomnie. J'adore la musique ; c'est ma seule source de bonheur. Alors pour m'endormir, j'écoute ma harpe jouer sa musique. C'est un vieux trésor de famille. La seule chose que mon père m'a laissée. Je n'ai aucun ami parmi les humains. Chaque fois que j'essaie de devenir ami avec quelqu'un, la personne a peur de moi ou se moque de moi. Comme je suis terriblement sensible, j'évite les gens. J'habite dans un pays magique, dans les nuages, inaccessible aux humains et, grâce à ma poule et à ma harpe, je suis relativement heureux. Ma poule pond des œufs en or et ma harpe en or joue une musique céleste. Sans ma poule et ma harpe, je n'aurais rien.

Dernièrement, un garçon du nom de Jack a trouvé mon pays magique. Il s'est caché dans ma maison et a volé ma poule. Cela m'a porté un coup terrible. Quel garçon cruel et malhonnête ! Je ne lui ai jamais rien fait ! Je ne lui ai jamais rien pris ! Parce que je suis gros, maladroit et laid, il se croit tout permis. C'est mal. Je n'ai plus que ma harpe en or et j'ai bien peur que Jack ait l'intention de revenir me la voler. Que dois-je faire ? Je déteste la violence, mais je dois défendre mes possessions et mes droits.

9.3 Utiliser des structures qui conviennent à la révision

À cette période de l'année, nous vous suggérons de mettre le plus possible l'accent sur la révision en utilisant l'apprentissage coopératif. Voici quelques exemples d'activités basées sur les structures.

Activité 1 pour la révision de la matière

Matière : *mathématiques*
Niveau : *deuxième secondaire*
Structure : *jeu de dé*

Objectif : révisez les notions apprises avant d'aborder la résolution des équations et de réactiver les connaissances antérieures.

Matériel requis

1 dé à six faces par groupe

6 questions correspondant à chacune des faces

Feuilles mobiles pour répondre aux questions (une par groupe)

Feuilles de brouillon

Rôles

Secrétaire
Porte-parole
Responsable du matériel
Responsable du temps
Animatrice ou animateur

Déroulement

1. Les groupes sont composés de quatre membres de compétences différentes. Chaque membre lance un dé et lit le problème qui correspond à la face du dé. Durée maximale : 5 minutes.
2. Individuellement, chaque élève répond à la question sur une feuille de brouillon. Durée maximale : 10 minutes.
3. Les élèves mettent ensuite en commun les questions et les réponses. L'animatrice ou l'animateur dirige la discussion. Durée maximale : 15 minutes.
4. La secrétaire ou le secrétaire écrit sur une feuille mobile les réponses aux questions. Durée maximale : 5 minutes.
5. En plénière, une porte-parole ou un porte-parole de chaque groupe explique une question. Échanges, et explications au besoin, au tableau. Durée maximale : 15 minutes.
6. La responsable ou le responsable du matériel remet les dés, les questions, les feuilles de brouillon et la feuille de réponses.

Question 1

Traduis par une équation le problème suivant.

Louise, Jacques et Marilou ont accumulé 426 points. Louise a 20 points de moins que Marilou et Jacques en a 18 de plus que Marilou. Combien de points chacun a-t-il accumulés ?

Question 2

Compare les rapports suivants (<, >=).

10:7 et 10:9 12:5 et 13:5

Question 3

Un angle de 48° issu du centre d'un cercle intercepte un arc de 15 cm. Calcule la mesure de l'arc intercepté par un angle au centre de 75°.

Question 4

Calcule l'aire d'un secteur ayant un angle au centre de 120° sur un cercle de 10 cm de rayon. Utilise une proportion.

$\pi = 3{,}14$

Question 5

Entre quels entiers se situe la racine carrée de 165 ?

Question 6

Soit trois nombres pairs consécutifs. Le double du plus petit nombre est de 136 fois supérieur au plus grand. Quels sont ces nombres ?

Cette activité a été élaborée par Louise Bigaouette, enseignante.

Activité 2 pour la révision de la matière

Matière : *écologie*
Niveau : *secondaire I*
Structure : *Trouve quelqu'un qui*

1. Distribuer à chacun des élèves une carte de bingo et un crayon (*voir l'exemple qui suit*).
2. Expliquer le but de l'activité. Circuler et trouver les élèves capables de nommer des termes correspondant à chacune des cases. Si la réponse est bonne, faire signer la case en identifiant la réponse.
3. Changer les partenaires après chaque case.
4. Le nom d'un élève ne figure qu'une fois sur la carte.
5. L'élève qui réussit à former une ligne complète crie bingo ! La classe vérifie ses réponses.
6. Après vérification, poursuivre l'activité si une réponse est erronée.

Exemple de carte de Bingo de révision

Qui suis-je ? Qui sommes-nous ?

Pour s'accoupler, avoir de la nourriture, devenir chef, protéger les petits, délimiter leur territoire.	Réaction de la fleur du *tournesol* qui se tourne vers le soleil.	Le *castor* se construit une hutte et un barrage pour s'en servir comme abri.	Un *requin* reconnaît l'odeur d'une goutte de sang diluée dans 100 000 gouttes d'eau.	Un *épervier* voit sa proie, un *mulot*, à une hauteur de 50 mètres.
Le vent, la neige, le verglas, une inondation, un tremblement de terre, un orage.	Réaction des tiges de *carotte* qui s'orientent vers le ciel en hauteur.	Les micro-organismes, logés dans le *termite*, digèrent la cellulose pour lui.	Phénomène par lequel une araignée modifie son habitat afin de construire un piège pour ses proies.	Je suis responsable de la coloration automnale des arbres feuillus.
La *coccinelle* loge dans le terrier des *marmottes*.	Le *vanneau* est un oiseau concierge. Il nettoie la grande gueule ouverte du *crocodile* lorsqu'il dort.		Observations, interrogation, hypothèse, expérimentation, recherche, conclusion.	Pour avoir le plus d'espace, d'eau, de minéraux et de soleil possible.
Il faut attacher un plant de *tomates* à un tuteur, car il ne s'y enroule pas lui-même autour.	La température corporelle de la *marmotte* passe de 37 °C à 4,5 °C, et son rythme cardiaque passe de 80 à 5 battements par minute durant l'hiver.	Action *du ver de terre* favorisant l'aération du sol.	Le *coucou* pond ses œufs dans un nid de *bruants,* qui s'en occupent.	Respiration, nutrition, mouvement, croissance, reproduction.
Le *lièvre d'Amérique* broute de l'herbe l'été ; des bourgeons et l'écorce de *bouleau* l'hiver.	Réaction des racines du *saule pleureur* qui se dirigent vers l'eau.	La *chauve-souris cendrée* migre vers le sud à l'automne et revient au Québec en mai.	Réaction d'une tige de *vigne* qui s'enroule autour d'une clôture.	Je donne la couleur verte aux plantes durant l'été.

Cette activité basée sur la structure Trouve quelqu'un qui a été élaborée par Marie-Claude Sauvé et Ghyslaine C. Couture, enseignantes.

9.4 Revenir sur l'importance du transfert des habiletés de coopération

> **Soulignez leurs progrès**
>
> Vos élèves doivent relever le défi de mettre en pratique les habiletés coopératives de niveau supérieur, aboutissement logique du chemin qu'ils ont parcouru depuis septembre. Essayez de leur rappeler quelques situations où, ils ont tâtonné à cause d'un manque d'habiletés. Consultez vos grilles d'observation et celles des élèves observateurs compilées il y a quelques mois. Faites-leur part des notes que vous avez prises durant vos propres périodes de réflexion. Vous pouvez divulguer des anecdotes à la classe sans révéler le nom des élèves en question. De toute façon, ils se reconnaîtront.

La fin de l'année scolaire est propice pour passer en revue l'apprentissage et la croissance de chacun. Grâce à l'apprentissage coopératif, vos élèves ont atteint ces deux objectifs. Ils devraient reconsidérer toutes les habiletés et les valeurs coopératives qu'ils ont acquises pendant l'année.

Souligner l'utilité des habiletés

Tout au cours de l'année, vous avez parlé à votre classe de la possibilité de mettre en pratique les habiletés coopératives dans leur vie personnelle et de les utiliser sur le marché du travail. Si ce n'est déjà fait, animez une discussion sur les expériences qu'ils ont eues à l'extérieur de la classe, durant l'année.

1. Faire table ronde. Les membres du groupe parlent des habiletés interpersonnelles qu'ils ont utilisées auprès de leur famille et de leurs amis. Parler de l'importance de la communication et de ses composantes.
2. Les groupes déterminent les habiletés qui ont été les plus utilisées et en discutent avec le reste de la classe.
3. Les groupes émettent des hypothèses sur les habiletés dont ils pourront se servir en occupant un emploi. Ils en dressent une liste.
4. Inviter une personne qui occupe une fonction de supervision ou qui fait des entrevues d'embauche. Lui demander de parler des qualités individuelles recherchées et du rôle qu'elles jouent pour décrocher un emploi, le conserver et pour obtenir une promotion.
5. Conclure l'activité avec une discussion sur la responsabilité individuelle, et la capacité d'acquérir et d'étendre ces habiletés à la classe et à d'autres contextes.

9.5 Féliciter les autres

L'un des éléments les plus difficiles des relations interpersonnelles est d'accepter qu'une personne ait une opinion, une philosophie ou une perspective différente de la nôtre tout en ayant aussi raison! Pour bien des jeunes, une personne à l'allure différente, aux vêtements, au parler et aux comportements différents peut être un motif de rejet. Il est difficile de sympathiser avec un inconnu, mais il est facile de juger selon les apparences.

Grâce à la pédagogie de la coopération vos élèves ont côtoyé des pairs qu'ils n'auraient jamais abordés autrement. Ils ont parlé à d'autres élèves, ils ont appris d'eux ; ils ont ainsi été exposés à des idées et à des interprétations de leurs pairs différentes des leurs. Ils ont goûté à la **diversité.**

Les neuf valeurs de la coopération qui ont toujours été véhiculées dans votre classe, quand vous avez eu recours aux approches individuelles et à l'enseignement magistral, aux groupes coopératifs, aux ateliers, au tutorat entre pairs, à l'enseignement stratégique ou à d'autres formes, ont créé un climat favorisant l'acquisition des connaissances et d'une multitude d'autres valeurs. Quand on **éduque au lieu d'enseigner,** on forme l'individu sur les plans intellectuel, émotionnel et social. L'**éducation est une question de valeurs.** Nous croyons que les valeurs ne s'enseignent pas dans un cours de formation personnelle et sociale. Elles transparaissent dans les expériences quotidiennes en inspirant les élèves.

Souhaitons que ces expériences aident nos élèves à devenir des personnes curieuses, ouvertes aux autres, compréhensives, tout en restant des penseurs critiques, capables d'assumer un leadership. Les enseignants se posent souvent des questions quant au temps qu'ils doivent consacrer à l'enseignement des habiletés de coopération, à l'exclusion des habiletés scolaires. Notre expérience, et celles de dizaines de milliers d'enseignants, nous apprend qu'avec un peu de pratique les enseignantes peuvent facilement atteindre ces deux objectifs. Les enseignantes savent s'il est nécessaire d'accorder des heures supplémentaires à la création d'un contexte propice à l'apprentissage qui, à la longue, améliorerait la productivité de leurs élèves.

La fin de l'année est une période pour remercier et pour célébrer autant l'apprentissage que la diversité. Vos élèves ont vécu ensemble des expériences d'apprentissage positives ? Ils ont couru des risques face à leurs pairs ? Ils n'ont pas été l'objet de raillerie ? De votre côté, vous souhaitez une conclusion heureuse ? Dans ce cas, proposez-leur l'activité suivante.

Carte de souhaits

Tous les niveaux

Note: participez à cette activité.

1. Distribuer une feuille de 21 cm × 30 cm à chacun des élèves. Utiliser du papier de couleur si possible.
2. Les élèves plient deux fois leur feuille en deux pour faire une carte de souhaits.
   Sur le dessus, ils font un dessin ou écrivent les renseignements suivants:
   - Leur nom;
   - Un symbole représentatif de leur personnalité;
   - Ce qu'ils ont réussi cette année, à l'école.
3. Quand les élèves ont terminé, ils font circuler leurs cartes dans la classe. Chaque élève écrit dans la carte qu'il reçoit des commentaires positifs, des remerciements ou des félicitations destinés à son auteur et il la signe.
4. Les élèves s'échangent les cartes jusqu'à ce que chacune contienne la signature de tous les élèves.

Moments de réflexion

Mai et juin **9e et 10e mois**

Ai-je eu ou pris le temps?... ✔

9.1 De mettre pleins feux sur la synergie ❑
Remue-méninges synergique ❑

9.2 D'enseigner les habiletés de coopération de niveau avancé ❑

9.3 D'utiliser des structures qui conviennent à la révision ❑
Activité 1 pour la révision de la matière ❑
Activité 2 pour la révision de la matière ❑

9.4 De revenir sur l'importance du transfert des habiletés de coopération ❑

9.5 De féliciter les autres ❑
Carte de souhaits ❑

Mes notes personnelles

___

___

___

___

___

___

___

___

___

Conclusion

La force de la coopération est très grande chez les élèves et aussi chez les enseignants. Dans beaucoup d'écoles, les enseignants s'entraident pour créer et organiser des activités communautaires, régler des problèmes, écouter d'une oreille active, s'encourager, ce qui a pour effet de les faire évoluer professionnellement. Des relations saines entre pairs peuvent faire toute la différence dans notre vie professionnelle. À cet égard, nous avons été privilégiés.

Vous avez expérimenté les stratégies nouvelles et vous avez consacré du temps et de l'énergie à changer votre pratique pédagogique. Nous vous encourageons à partager vos expériences avec vos collègues de travail. Une façon de vivre les valeurs de la coopération !

Témoignages d'enseignants et d'élèves

En 1972, j'enseignais, et mes élèves apprenaient la matière seuls ou tous en même temps. Il n'y avait pas ou peu d'interdépendance. Vers les années 1980, les écoles s'éveillèrent à la pédagogie ouverte. Les élèves étaient alors divisés par petits groupes. Chacun de ces groupes travaillait à une matière différente. Les jeunes s'inscrivaient le matin aux ateliers, mais les élèves d'un même groupe travaillaient davantage de manière individualiste.

Enfin, les années 1990 ont ouvert la porte au travail coopératif. Les élèves agissent en rapport constant avec les autres. Non seulement participent-ils activement à leurs apprentissages, mais on leur permet d'organiser le milieu physique, de créer un projet et de collaborer aux objectifs à atteindre selon leur niveau.

Grâce à l'apprentissage coopératif, l'élève apprend à écouter les autres, à proposer des activités, à définir des objectifs... Il contribue à son succès et à celui de son groupe. Il se rend compte qu'il doit assumer toutes ses responsabilités (rôles, tâches, efforts), sinon il risque de se nuire et de nuire aussi aux autres.

Voici ce que je perçois tous les jours dans ma classe, depuis que j'enseigne à l'aide d'une structure coopérative : les jeunes se rendent compte que le quotidien est plus facile à vivre, que les journées passent plus vite et que nul n'en sort épuisé.

On découvre que la coopération améliore autant nos propres apprentissages que ceux des coéquipiers et vice versa.

Francine Kimpton, enseignante

La préoccupation des écoles se limite trop souvent à l'apprentissage des concepts scolaires. L'apprentissage coopératif nous permet enfin d'organiser des situations sociales où certains enfants vivront la complicité, le partage et le soutien des autres pour la première fois.

Marie-Andrée Delisle, enseignante

Comme éducateurs, nous devons préparer nos classes, nos programmes et nos méthodes d'enseignement pour répondre aux différents styles d'apprentissage, niveaux d'habileté et besoins sociaux de nos élèves.

L'apprentissage coopératif, c'est tout cela à la fois !

- *Les enfants apprennent.*
- *Ils apprennent à écouter, et on les écoute.*
- *Ils apprennent à interroger et à faire leur part.*
- *Ils apprennent à interagir les uns avec les autres de façon appropriée.*
- *Ils apprennent à être responsables et dignes de confiance.*
- *Ils apprennent à se respecter eux-mêmes et à respecter les autres.*
- *Ils apprennent qu'ils occupent une place importante dans la communauté que représente leur classe.*

Et c'est exaltant !

Beverly Makiuk, enseignante et directrice adjointe

Le travail coopératif est le fun *parce qu'on comprend mieux les jeunes de notre âge. On les écoute, on n'a pas le choix — ils sont à côté !*

Élève, 4e secondaire

Pendant le travail de groupe, on est plus capable de voir les idées les plus importantes.

Élève, 3e secondaire

CONFIANCE

Nous nous faisons confiance.

Nous pouvons nous fier à la parole et
aux promesses d'un membre de notre groupe.

OUVERTURE ENVERS LES AUTRES

Nous sommes capables de travailler avec tout le monde.

Nous acceptons et valorisons les différences.

Nous célébrons la diversité.

ENTRAIDE

Nous partageons.

Nous nous entraidons.

Nous persévérons.

Nous vérifions si chacun comprend.

ÉGALITÉ

Nous sommes différents mais égaux.

Nous nous enrichissons.

Nous sommes tolérants.

Annexe 1e

DROIT À L'ERREUR

Nous ne sommes pas parfaits,
et c'est bien ainsi.

Nous acceptons les erreurs
de nos coéquipiers.

SOLIDARITÉ

Nous nageons ensemble plutôt
que de couler ensemble.

Nous formons un groupe.

D'après une idée de S. Pascoe.

ENGAGEMENT

Nous participons activement
et jouons nos rôles.

Nous faisons des efforts.

Nous réglons les conflits ensemble.

PLAISIR

Nous avons du plaisir
à apprendre ensemble.

Nous respectons le droit des autres
au plaisir.

SYNERGIE

Nous unissons nos forces.

Nous nous complétons bien.

Nous persévérons.

TROUVE QUELQU'UN qui *te* ressemble

	Ma réponse	Signature de mes camarade
1. Crème glacée préférée		
2. Matière scolaire préférée		
3. Musique préférée		
4. Signe astrologique		
5. Nombre de frères et de sœurs		
6. Saison préférée		
7. Sport préféré		
8. Couleur préférée		
9. Couleur des yeux		
10. Vacances de rêve		
11. Si j'étais un animal, je serais…		
12. Un endroit que j'aimerais visiter		
13. Quand je serai adulte, je veux être…		

Grille du groupe

	Nom : ________	Nom : ________	Nom : ________	Nom : ________
1.				
2.				
3.				
4.				

Cartes de rôle

Découpez ici

LA SECRÉTAIRE ou LE SECRÉTAIRE

Pliez ici

RÔLE
La secrétaire ou le secrétaire

Ce que je fais (non verbal)	Ce que je dis (verbal)
• Prise de notes soignée • Attendre les consignes des autres avant d'écrire • Respect • Souci de clarté et de précision	• Est-ce que je note ceci? • Est-ce que j'ai bien compris? • Peux-tu répéter? • Est-ce que vous êtes tous d'accord pour que j'écrive ceci?

Découpez ici

Cartes de rôle

Découpez ici

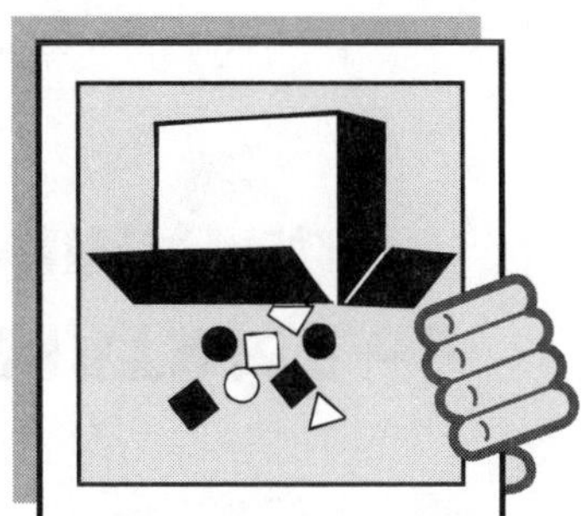

LA RESPONSABLE ou LE RESPONSABLE DU MATÉRIEL

Pliez ici

RÔLE
La responsable ou le responsable du matériel

Ce que je fais (non verbal)	Ce que je dis (verbal)
• Attention aux consignes données • Distribution du matériel aux membres du groupe • Manipulation soigneuse du matériel • Retour du matériel classé et rangé	• Je vous distribue le matériel requis. • Nous attendons les consignes avant d'utiliser le matériel. • Est-ce qu'il vous manque quelque chose? • Je me charge d'aller chercher ce qu'il vous manque! • Est-ce que je peux vous être utile? • S. V. P. remettez-moi votre matériel. • Je vous remercie de votre collaboration.

Découpez ici

Cartes de rôle

Découpez ici

L'ANIMATRICE ou
L'ANIMATEUR

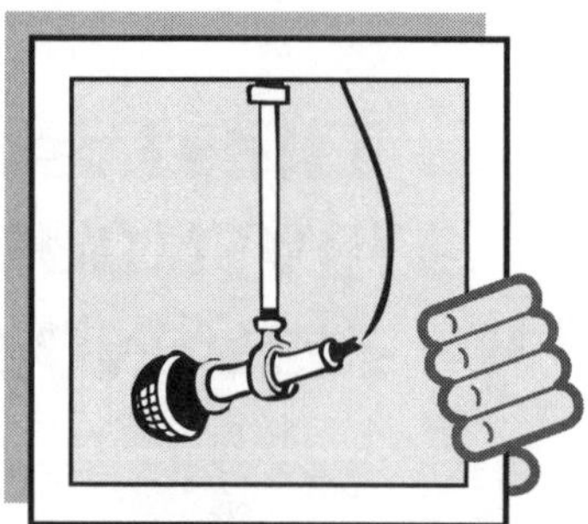

Pliez ici

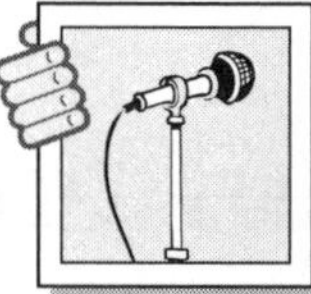

RÔLE
L'animatrice ou l'animateur

Ce que je fais (non verbal)	Ce que je dis (verbal)
• Attribution égale du droit de parole en pointant • Gestes d'encouragement	• Avant de commencer, établissons bien nos rôles! • Nous allons réussir ensemble cette tâche! • C'est à ton tour… • Est-ce que ça va? • Est-ce que tout le monde comprend? • C'est bien! • Nous avons presque terminé! • Qu'en pensez-vous? • Avez-vous des suggestions?

Découpez ici

Cartes de rôle

Découpez ici

LA RESPONSABLE ou LE RESPONSABLE DU TEMPS

Pliez ici

RÔLE
La responsable ou le responsable du temps

Ce que je fais (non verbal)	Ce que je dis (verbal)
• Regardez l'horloge • Gestes indiquant qu'il faut accélérer • Gestes indiquant le temps qu'il reste	• Commençons tout de suite! • Revenons au sujet! Le temps file! • Il reste… minutes! • Il faut conclure! • Le temps est écoulé!

Découpez ici

Cartes de rôle

Découpez ici

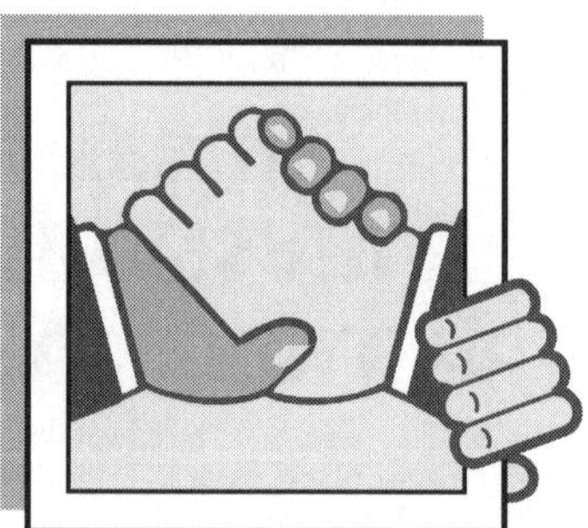

LA RESPONSABLE ou
LE RESPONSABLE
DU CONSENSUS

Pliez ici

RÔLE
La responsable ou le responsable du consensus

Ce que je fais (non verbal)	Ce que je dis (verbal)
• Manifester l'obtention d'un consensus par un signe de la tête • Regarder tout le monde • Respect • Sourire	• Avez-vous des questions? • Est-ce que c'est clair? • Avez-vous une opinion différente? • Voulez-vous en discuter plus longtemps? • Est-ce que nous sommes tous d'accord? • Pourrons-nous signer la feuille du groupe? • Bravo! Nous avons donc établi un consensus!

Découpez ici

Cartes de rôle

Découpez ici

LA VÉRIFICATRICE ou LE VÉRIFICATEUR

Pliez ici

RÔLE
La vérificatrice ou le vérificateur

Ce que je fais (non verbal)	Ce que je dis (verbal)
• Attention portée à chacun • Sourcils froncés • Gestes de «questionnement»	• Est-ce que tous ont bien compris? • Veux-tu répéter s'il te plaît? • Veux-tu expliquer un peu plus… ? • Est-ce que nous avons la même réponse? • Vous êtes satisfaits?

Découpez ici

Cartes de rôle

Découpez ici

LA PORTE-PAROLE
ou LE PORTE-PAROLE

Pliez ici

RÔLE
La porte-parole ou le porte-parole

Ce que je fais (Non verbal)	Ce que je dis (Verbal)
• Rapport fidèle	• Est-ce que j'ai bien compris? • Est-ce que c'est bien ce que vous pensez? • Les membres de mon groupe croient que… • Nous avons trouvé la réponse suivante… • Voici le résultat de nos discussions… • Nous sommes d'accord pour dire que…

Découpez ici

Formulaire de réflexion critique individuelle

Nom du groupe : ____________________

Mon nom : ____________________

Date : ____________________

Réponds individuellement aux questions et, ensuite, fais part de tes réponses au groupe.

1. Ai-je commencé à travailler immédiatement ?

   ❑ Oui ❑ Pas immédiatement ❑ Non

   Pourquoi ? ____________________

2. Ai-je participé au travail durant toute l'activité ?

   ❑ Oui ❑ Parfois ❑ Non

3. Qu'ai-je appris grâce à mon groupe ?

   ____

   ____

4. Que puis-je améliorer de ma contribution au groupe la prochaine fois ?

   ____

   ____

Réflexion critique

Nom: ____

Est-ce que…		
j'écoute?		
j'écris?		
je partage?		

Feuille de réflexion critique

1. J'ai participé activement.

2. J'ai partagé le matériel.

3. J'ai parlé à voix basse.

4. J'ai bien écouté mes coéquipiers.

5. J'ai encouragé mes coéquipiers.

Nom de l'élève : ______________________________

Grille d'observation du groupe

Cochez la case appropriée chaque fois qu'un comportement désiré se produit.
En plus, essayez de noter les paroles ou les gestes exprimant un de ces comportements une fois pour chaque membre du groupe.
N'essayez pas de tout noter.

Habileté \ Nom				
Autres habiletés				

Commentaires de l'enseignante : ______________________________

____

____

Grille d'observation à long terme

Nom du groupe : ______________________________

Utilisez cette grille pour observer les progrès du groupe dans des habiletés particulières.

Date	Habileté 1	Habileté 2	Habileté 3	Habileté 4

Commentaires de l'enseignante : ______________________________

____

____

Grille d'observation de plusieurs groupes

Groupe	1re habileté	2e habileté	Commentaire
1.			
2.			
3.			
4.			

Réflexion critique sur mon groupe

Coche dans la case appropriée ton observation par rapport aux énoncés suivants, puis échange tes réponses avec les membres de ton groupe.

1. Nous avons tous partagé les idées formulées.

   ❑ Souvent ❑ Parfois ❑ Rarement

   Pourquoi? ______________________________

2. Nous avons tous écouté attentivement.

   ❑ Souvent ❑ Parfois ❑ Rarement

3. Nous avons demandé de l'aide quand c'était nécessaire.

   ❑ Souvent ❑ Parfois ❑ Rarement

4. Nous avons apporté de l'aide quand c'était nécessaire.

   ❑ Souvent ❑ Parfois ❑ Rarement

5. Ce que j'aimerais dire à mon groupe concernant notre travail:

   ____

   ____

Réflexion critique du groupe

Remplissez ce formulaire tous ensemble. Demandez à un de vos membres de présider la discussion.

1. Cochez les cases qui s'appliquent à chacun des énoncés suivants.

	Oui	Non
Tous les membres de notre groupe ont émis des idées	❑	❑
Tous les membres de notre groupe ont encouragé les autres à émettre leurs points de vue	❑	❑
Tous les membres de notre groupe étaient à l'écoute de chacun attentivement	❑	❑

2. Inscrivez les problèmes rencontrés et leurs solutions possibles.

Problème	Solution
______________________	______________________
______________________	______________________
______________________	______________________
______________________	______________________
______________________	______________________

Signatures : ______________________ ______________________

______________________ ______________________

Grille d'observation pour les élèves observateurs

Habileté / Nom		Habileté 1	Habileté 2
Élève 1			
Élève 2			
Élève 3			
Élève 4			
Élève 5			

Commentaires: ______________________________

____

____

Feuille de planification d'une leçon à structures multiples

Temps	Phase de l'apprentissage	Structure	Intelligence ciblée	Contenu	Ressources matérielles	Commentaires

Habiletés interpersonnelles et cognitives de niveau avancé

Vérifier l'existence d'un **consensus.** ❏

Jouer le rôle de **médiatrice** ou de **médiateur.** ❏

Résumer ce qui vient d'être lu ou discuté. ❏

Corriger les propos d'un autre élève, au besoin. ❏

Étoffer, faire des liens entre la matière et d'autres notions. ❏

Donner des **stratégies de mémorisation.** ❏

Critiquer les idées et non ses auteurs. ❏

Demander à un membre de **justifier** sa réponse ou sa conclusion. ❏

Intégrer un certain nombre d'idées différentes dans un seul et même point de vue. ❏

Annexe 15

Contrat de groupe

Groupe : ______________________________

Date : ______________________

Nous avons convenu de mettre en pratique l'habileté coopérative suivante :

____

Signatures : ______________________ ______________________

______________________ ______________________

Période de réflexion

Oui, nous avons atteint notre objectif grâce aux comportements suivants :

____

____

____

Non, nous n'avons pas atteint notre objectif. Voici des exemples de comportements souhaitables.

____

____

____

Nous convenons de travailler à ______________________ lors de la prochaine activité de groupe.

Signatures : ______________________ ______________________

______________________ ______________________